A liderança que Deus valoriza

A liderança que Deus valoriza

17 valores que moldam o sucesso

RICHARD STEARNS

Traduzido por Angela Tesheiner

Copyright © 2021 por Richard E. Stearns
Publicado originalmente por InterVarsity Press, Downers Grove, Illinois, EUA.

Os textos bíblicos foram extraídos da *Nova Versão Transformadora* (NVT), da Tyndale House Foundation, salvo indicação específica. Eventuais destaques nos textos bíblicos referem-se a grifos do autor.

Todos os direitos reservados e protegidos pela Lei 9.610, de 19/02/1998.

É expressamente proibida a reprodução total ou parcial deste livro, por quaisquer meios (eletrônicos, mecânicos, fotográficos, gravação e outros), sem prévia autorização, por escrito, da editora.

Edição
Daniel Faria

Revisão
Natália Custódio

Produção e diagramação
Felipe Marques

Colaboração
Ana Luiza Ferreira
Marina Timm

Capa
Douglas Lucas

CIP-Brasil. Catalogação na publicação
Sindicato Nacional dos Editores de Livros, RJ

S822L

    Stearns, Richard
        A liderança que Deus valoriza : 17 valores que moldam o sucesso / Richard Stearns ; tradução Angela Tesheiner. - 1. ed. - São Paulo : Mundo Cristão, 2023.
        208 p.

    Tradução de: Lead like it matters to god
    ISBN 978-65-5988-181-9

        1. Liderança - Aspectos religiosos - Cristianismo. 2. Valores - Aspectos religiosos - Cristianismo. I. Tesheiner, Angela. II. Título.

22-80993   CDD: 658.4092
                                             CDU: 316.46

Gabriela Faray Ferreira Lopes - Bibliotecária - CRB-7/6643

Categoria: Inspiração
1ª edição: abril de 2023

Publicado no Brasil com todos os direitos reservados por:
Editora Mundo Cristão
Rua Antônio Carlos Tacconi, 69
São Paulo, SP, Brasil
CEP 04810-020
Telefone: (11) 2127-4147
www.mundocristao.com.br

ESTE LIVRO É DEDICADO, COM GRATIDÃO,
às centenas de colegas, mentores, professores
e amigos cujo caráter e liderança me moldaram,
mudaram e inspiraram no decorrer de minha carreira.
Valores concretizados se tornam algo contagiante — no bom sentido.
Por isso, agradeço em especial àqueles colegas "contagiosos",
que, com seu exemplo, me mostraram como me tornar um líder melhor —
um líder mais agradável a Deus.

Busquem, em primeiro lugar, o reino de Deus e a sua justiça, e todas essas coisas lhes serão dadas.
Mateus 6.33

Mas o Espírito produz este fruto: amor, alegria, paz, paciência, amabilidade, bondade, fidelidade, mansidão e domínio próprio. Não há lei contra essas coisas!
Gálatas 5.22-23

Sumário

Introdução   11

1. A liderança muda o mundo: *Juntando-se à revolução*   17
2. Os planos que tenho para vocês: *Um pouco de autobiografia*   26
3. Rendição: *Seja feita a tua vontade, e não a minha*   36
4. Sacrifício: *Suicídio profissional*   44
5. Confiança: *Ele sabe o que faz*   52
6. Excelência: *É como você participa do jogo*   58
7. Amor: *O que amor tem a ver com isso?*   66
8. Humildade: *O banheiro executivo*   75
9. Integridade: *Quem você é quando ninguém o observa*   82
10. Visão: *Visualizando um futuro melhor*   91
11. Coragem: *Não tenha medo*   101
12. Generosidade (Ausência de ganância): *O efeito tóxico do dinheiro*   109
13. Perdão: *Sinto muito*   117
14. Autoconsciência: *Conhece-te a ti mesmo*   129
15. Equilíbrio: *Só trabalho e nenhuma diversão*   139
16. Humor: *Se não rimos, choramos*   150
17. Encorajamento: *Muito bem, servo bom e fiel*   157
18. Perseverança: *Aguente firme*   168
19. Escuta: *Até as abelhas fazem isso*   179
20. Levando Deus para o trabalho   187

Posfácio 199
Agradecimentos 201
Notas 203

Introdução

O objetivo da vida não é conquistar um lugar ao sol, nem alcançar fama ou sucesso, mas perder-nos na glória de Deus.
INÁCIO DE LOYOLA

Permita-me começar com uma confissão: não costumo gostar de livros sobre liderança. Creio que seja porque eles sempre fazem com que eu me sinta um pouco inadequado — como se não estivesse bem à altura já que não dominei os métodos e as técnicas mais recentes. Por isso é um tanto irônico que eu agora tenha escrito um livro sobre o assunto. Deus sabe que há literalmente centenas de livros por aí, cada um vendendo alguma abordagem que levará a um sucesso maior, alguma nova fórmula que transformará e impulsionará nossa carreira. E não me oponho a nenhum livro que ajude a liderar melhor, pois a questão da liderança é mesmo muito importante em nosso mundo. Bons líderes podem mudar o mundo de formas impressionantes — assim como maus líderes podem causar danos terríveis.

Porém, como cristão, passei a acreditar que o desígnio de Deus para a liderança é algo radicalmente diferente dos modelos seculares que dominam o panorama atual e que também penetraram nas igrejas e nos ministérios. Os modelos seculares quase sempre se baseiam nos resultados. Eles se concentram em que conjunto de habilidades, quais técnicas, quais comportamentos de liderança gerarão resultados superiores. Bons resultados e bom desempenho não são algo ruim, mas, na economia de Deus, não são o principal. No mundo em que o sucesso é rei, devemos ter cuidado para não cair na armadilha de acreditar que nossa identidade de alguma forma deriva da magnitude de nossas conquistas em vez de nosso relacionamento com Deus. Creio que Deus se preocupa muito mais com a forma como se lidera do que com o sucesso que se alcança. Pois o sucesso é superestimado.

Sim, você me ouviu bem, eu disse que o sucesso é superestimado. Compreendo que essa declaração, num livro sobre liderança, chega a soar como heresia. Vivemos numa cultura obcecada com o sucesso, na qual vencer é tudo — nos negócios, nos esportes, na política, na escola e na vida. Celebramos as pessoas mais ricas, os líderes mais poderosos, as maiores igrejas, os times com maior número de vitórias, as empresas de crescimento mais rápido e as celebridades mais famosas. Estamos, de fato, mergulhados numa cultura orientada ao sucesso e às conquistas que permeia cada dimensão de nosso trabalho e de nossa vida. A orientação ao sucesso e às conquistas é tão disseminada que nem mesmo percebemos como ela influencia tudo que fazemos. É como um gás incolor e inodoro que todos respiramos. No entanto, ela pode ser letal. A busca obstinada pelo sucesso se torna um ídolo em nossa vida que nos atrai cada vez mais para longe de Deus. Na realidade, porém, Deus não está nem um pouco interessado no sucesso. Ele não se impressiona com faturamentos crescentes, com o aumento do público na igreja, com o volume de sua renda ou com o título em seu cartão comercial. Deus procura por líderes "segundo seu próprio coração", líderes cativantes que se submeterão a sua liderança e confiarão que ele gerará resultados. Para Deus, o caráter de um líder é bem mais relevante.

> Quando levamos Deus conosco ao trabalho, ele nos utilizará para seus propósitos.

Neste momento, você talvez esteja pensando: É fácil para você falar. Você não sabe o que eu enfrento todos os dias no trabalho. Lá é bom desempenho ou desaparecimento. Eu trabalho em um ambiente de competição acirrada. A cultura do ambiente de trabalho é brutal. Quem não se sair bem é mandado embora, e isso talvez aconteça mesmo para quem apresente bom desempenho, mas se encontre do lado errado da política do ambiente de trabalho. No domingo na igreja, ouço falar sobre "vestir a armadura completa de Deus", mas, na segunda-feira, se eu quiser sobreviver à semana, preciso vestir a armadura do mundo. Pois o trabalho às vezes se assemelha a um combate.

Se é isso que você enfrenta em seu trabalho, entendo perfeitamente, já que trabalhei nesse tipo de ambiente exigente e secular por quase 25 anos. Tive alguns chefes horríveis, trabalhei em algumas culturas tóxicas e fui despedido duas vezes. Entretanto, em meio a tudo isso, aprendi que minha fé cristã não era uma desvantagem, mas um trunfo. Diante de todo o estresse e de toda a pressão, descobri que, quando levamos Deus conosco ao trabalho, ele nos utilizará para seus propósitos.

Madre Teresa, santificada pela Igreja Católica por ter dedicado sua vida inteira aos pobres da Índia, certa vez fez uma declaração profunda que estilhaça por completo nossas noções seculares de sucesso. O senador dos Estados Unidos Mark Hatfield, em visita a Calcutá, a viu se mover entre as camas dos doentes e moribundos. O senador se impressionou com o tamanho descomunal das necessidades em comparação com os recursos de que ela dispunha. "Madre, a senhora não se sente terrivelmente desencorajada ao ver a magnitude da pobreza e compreender o pouco que é capaz de fazer?", perguntou ele. De forma respeitosa, o que ele estava perguntando de fato era se ela sentia que estava fracassando diante de adversidades avassaladoras. Ela lhe respondeu: "Meu caro senador, Deus não me chamou para ter sucesso. Ele me chamou para ser fiel".[1] Uau! Em apenas dezesseis palavras, Madre Teresa pôs nosso "paradigma do sucesso" de pernas para o ar — Deus nos chama para sermos fiéis, não bem-sucedidos.

> Recompensamos o sucesso, mas para Deus a questão fundamental é a fidelidade.

O fato é que tendemos a valorizar acima de tudo os resultados de nosso trabalho, mas o que Deus valoriza mais é nossa motivação. Valorizamos o "quê" de nosso trabalho, mas Deus valoriza o "porquê" e o "como". Priorizamos o destino a ser atingido, mas para Deus tudo que importa é a jornada. Recompensamos o sucesso, mas para Deus a questão fundamental é a fidelidade. Essa verdade única contraria a maior parte do que aprendemos sobre liderança em livros, seminários, universidades e em nossos locais de trabalho.

Não sei quanto a você, mas às vezes imagino como seria algum dia me colocar diante do Senhor para escutar dele sua avaliação de minha vida. E, apesar de meus três títulos de diretor executivo e décadas trabalhando em diversas organizações, não consigo de jeito nenhum imaginar Deus concluindo: "Muito bem, servo bom e fiel, por aqueles vinte trimestres consecutivos de crescimento dos lucros!". Ou então: "Parabéns, Rich, por ter se tornado diretor executivo aos 33 anos de idade. Você arrasou!". Não, não creio que Deus se impressione com essas coisas. Afinal, nem minha esposa se impressiona com nada disso. É bem mais provável que Deus nos fale sobre *como* lideramos e *como* vivemos. Como o representamos àqueles com quem trabalhamos? Como incorporamos as verdades e os valores do reino de Deus em nossa vida? E como demonstramos de forma tangível, em nossa conduta diária, seu grande amor pelas pessoas?

Pela maior parte de meus vinte anos como presidente da Visão Mundial, mantive os dizeres de 2Coríntios 5.20 pintados na parede de meu escritório: "Agora, portanto, somos embaixadores de Cristo; Deus faz seu apelo por nosso intermédio". Esse versículo, mais do que qualquer outro, parece capturar meu papel como líder cristão. Jesus estava me chamando para ser seu embaixador. E embaixadores são chamados para incorporar os valores, os ideais e o caráter daquele que representam. Defenderei nestas páginas a ideia de que não importa onde você trabalha, seja de forma remunerada ou como voluntário — numa escola, empresa, igreja, ministério, organização sem fins lucrativos, governo ou em casa —, você também é chamado primeiro a ser um embaixador de Cristo. Na realidade, Deus faz seu apelo por nosso intermédio. É uma noção que nos enche de humildade, não é? Não importa se você se considera um líder ou não. Você é um embaixador de Cristo. Sua vida é seu testemunho, esteja você no trabalho ou em casa. Quando as pessoas olharem para como você leva sua vida, cria seus filhos, gasta seu dinheiro, realiza seu trabalho e trata os outros, o que elas verão? Esses são os elementos que importam mais a Deus.

Este livro explica por que acredito que os valores que os líderes cristãos adotam são mais importantes do que o sucesso que alcançam. Não estou argumentando que o sucesso seja algo negativo — apenas não é o mais importante. Tanto o caráter como a competência honram a Deus. Quando nos concentramos primeiro em sermos fiéis a Deus em nossa vida, e quando nosso trabalho é orientado pelos valores do reino de Deus, ele pode muito bem nos abençoar com resultados proveitosos. Entretanto, qualidades como integridade, humildade, excelência, perseverança, generosidade, coragem e perdão importam mais a Deus do que o mais impressionante currículo de conquistas. E acredito que os líderes que adotarem essas características elevarão não apenas seu próprio desempenho, mas também o de sua equipe.

Contudo, ao escrever este livro, percebo que esses valores cristãos atemporais se encontram ameaçados em nossa cultura. Escândalos corporativos ocorrem com frequência. Escândalos de fraude têm também sido descobertos no mundo dos esportes profissionais. O movimento #MeToo revelou como homens têm cometido pavorosos abusos de poder contra mulheres em praticamente todos os setores de nossa sociedade: na esfera corporativa, em Hollywood, na mídia, em universidades, no governo e até dentro da igreja. A epidemia do coronavírus pôs à prova líderes em todas as esferas e nos mostrou os valores em que se baseia sua liderança — alguns para seu mérito e outros para sua vergonha. De maneira trágica, o racismo descarado e a xenofobia mais uma vez revelaram sua cara feia em meu país, com episódios de brutalidade policial que expõem vieses raciais profundamente sistêmicos. E a política se degenerou ao nível mais ignóbil de mentiras, ofensas pessoais e falta de civilidade que já observei em toda a minha vida. O que aconteceu com nossos valores?

Este livro trata do resgate desses valores.

A beleza de se tornar um líder orientado pelos valores é que adotar valores positivos não exige que você aprenda quaisquer novas habilidades ou técnicas excepcionais. A liderança orientada pelos valores está mais ligada ao caráter do que às capacidades, mais a quem se é do que ao que se faz, mais sobre agradar a Deus do que às pessoas. Desse modo, organizei o livro em torno de dezessete valores e qualidades de liderança que acredito serem essenciais que um líder cristão encarne: rendição, sacrifício, confiança, excelência, amor, humildade, integridade, visão, coragem, generosidade, perdão, autoconsciência, equilíbrio, humor, encorajamento, perseverança e escuta. Depois de um par de capítulos introdutórios, cada um desses valores será descrito a fundo em seu capítulo próprio, com o apoio das Escrituras e ilustrado por histórias extraídas de minhas próprias experiências. Sinta-se à vontade para lê-los em sequência ou pular para um dos valores que lhe parecer mais relevante neste momento.

É preciso um bocado de presunção para se imaginar qualificado para escrever um livro sobre liderança. Por isso devo começar com uma confissão sincera. Nunca fui um líder perfeito — nem de longe. No decorrer da carreira, minhas falhas e imperfeições estiveram à vista de todos. Como líder, cometi erros sérios, fracassei diversas vezes, lidei mal com certas situações e desapontei Deus mais vezes do que gostaria de admitir. A despeito de tudo isso, porém, tentei me levantar, sacudir a poeira e me tornar um líder melhor — um embaixador melhor para Jesus. Minha esperança para este livro é que líderes mais jovens se beneficiem das importantes lições de vida de um colega viajante — alguém que hoje tem a grande vantagem de poder examinar a própria carreira em retrospecto. Você pode atribuir essas opiniões à minha experiência ou vê-las como sabedoria acumulada, mas minha esperança sincera é de que elas lhe sejam úteis.

Escrevi este livro porque acredito que a liderança seja de extrema importância. A liderança afeta todas as dimensões de nossa experiência humana. Ela pode nos unir, nos elevar e nos inspirar a realizar grandes conquistas. E ela é crucial para que consigamos cumprir os propósitos de Deus em nosso mundo. Em resumo, a liderança é importante para Deus e, portanto, deve ser importante para nós.

1
A liderança muda o mundo
Juntando-se à revolução

ESCRITURAS → "Agora, portanto, somos embaixadores de Cristo; Deus faz seu apelo por nosso intermédio" (2Coríntios 5.20).

PRINCÍPIO DE LIDERANÇA → Os líderes cristãos são chamados para ser agentes de mudança para Cristo, levando cura e restauração a comunidades e locais de trabalho quebrantados.

> *Que todo homem permaneça na vocação em que foi chamado, e seu trabalho será tão sagrado como o trabalho do ministério. Não é o que um homem faz que determina se seu trabalho é sagrado ou secular; é aquilo que o motiva a trabalhar.*
> A. W. TOZER

> *Nunca duvide que um pequeno grupo de cidadãos conscientes e empenhados é capaz de mudar o mundo; de fato, foi sempre assim que aconteceu.*
> MARGARET MEAD

Margaret Mead, a famosa antropóloga, tinha razão. Se pararmos para pensar, quase todas as conquistas da raça humana no decorrer dos milênios foram realizadas não por indivíduos isolados, mas pelo esforço coletivo de grupos de pessoas que se juntaram sob algum tipo de organização. Quando grupos se reúnem, cada um contribuindo com habilidades e talentos diferentes, o todo é sempre muito maior do que a soma das partes: um mais um mais um pode ser igual a cinquenta.

Deixe-me apresentar apenas alguns exemplos. Você já se maravilhou com milagres rotineiros como arranha-céus, automóveis, celulares, vacinas, pontes suspensas ou mesmo a televisão de tela plana em sua casa?

Nada disso foi realizado por uma única pessoa. Foram todos o resultado dos esforços coletivos de grandes grupos de pessoas trabalhando juntas, muitas vezes se apoiando no trabalho pregresso de outros grupos. Aqueles que construíram sua televisão precisaram contar com as conquistas anteriores daqueles que aprenderam a produzir vidro, refinar aço e alumínio, moldar plásticos por injeção, transmitir sinais de rádio e criar circuitos semicondutores. Na realidade, sua televisão é o produto de milhares de grupos de pessoas que trabalharam por milhares de anos, acrescentando uma inovação após a outra para o total do conhecimento humano.

O que quero dizer com isso? Grupos de pessoas trabalhando juntas mudam o mundo. E grupos de pessoas sempre precisam ser liderados. Sem liderança, os grupos de pessoas são apenas, bem, grupos de pessoas. Sem liderança, poderiam muito bem ser um rebanho de vacas. Por que um time esportivo vence todos os outros e se torna campeão? Liderança. Por que uma empresa tem desempenho melhor do que as outras? Liderança. Por que o comitê de uma igreja consegue realizar mais do que os outros? Liderança. Não é exagero argumentar que todas as conquistas humanas se tornaram possíveis graças a líderes que ofereceram direcionamento e visão a grupos de pessoas, permitindo que os grupos conseguissem algo que nenhum dos indivíduos teria conseguido sozinho. A liderança é aquele ingrediente fundamental que muda o mundo.

> A liderança é aquele ingrediente fundamental que muda o mundo.

Entretanto, existe um mito sobre liderança que eu gostaria de desfazer. Tendemos a colocar os líderes sobre pedestais. Nós os glorificamos em nossa cultura como algum tipo de raça superior. A realidade, porém, é que o líder é apenas uma engrenagem no mecanismo do empreendimento humano, um membro da equipe. Para que serve o regente de uma orquestra sinfônica sem os músicos? Para que serve um treinador sem os jogadores? Que valor tem o presidente de um comitê sem o comitê? Há uma simbiose importante entre o líder e os liderados. Em 1Coríntios 12, o apóstolo Paulo descreveu a igreja utilizando a metáfora das interdependências dentro do corpo humano. É uma maravilhosa ilustração da importância de cada membro de um grupo, não apenas do líder.

De fato, o corpo não é feito de uma só parte, mas de muitas partes diferentes. [...]

Mas nosso corpo tem muitas partes, e Deus colocou cada uma delas onde ele quis. O corpo deixaria de ser corpo se tivesse apenas uma parte. Assim, há muitas partes, mas um só corpo. O olho não pode dizer à mão: "Não preciso de você". E a cabeça não pode dizer aos pés: "Não preciso de vocês".

Ao contrário, algumas partes do corpo que parecem mais fracas são as mais necessárias. E as partes que consideramos menos honrosas são as que tratamos com mais atenção. Assim, protegemos cuidadosamente as partes que não devem ser vistas, enquanto as mais honrosas não precisam dessa atenção especial. Deus estruturou o corpo de maneira a conceder mais honra e cuidado às partes que recebem menos atenção. *Isso faz que haja harmonia entre os membros, de modo que todos cuidem uns dos outros.* Se uma parte sofre, todas as outras sofrem com ela, e se uma parte é honrada, todas as outras com ela se alegram.

1Coríntios 12.14,18-26

Basicamente, Paulo estava explicando que o corpo só funciona porque todas as partes são diferentes e cada uma desempenha um papel crucial. Nenhuma parte do corpo, nem mesmo a cabeça, funciona sem as outras. Steve Jobs jamais teria nos trazido o iPhone sem uma legião de *designers*, engenheiros, profissionais de *marketing*, contadores e programadores por trás do projeto. Abraham Lincoln nunca teria libertado os escravos e preservado a união dos Estados Unidos sem corajosos ativistas sociais, outras vozes no Congresso, os membros de seu próprio gabinete e o Exército da União.

Para o líder cristão, há outra verdade nessa passagem que deveria ser a pedra fundamental de sua filosofia de liderança: "haja harmonia entre os membros" e "todos cuidem uns dos outros". Cada membro do grupo que você lidera é precioso, merece respeito e recebeu dádivas singulares de Deus. As pessoas desejam seguir um líder que os valorize dessa maneira.

E já que estou falando nesse assunto, existe outro mito sobre liderança que precisa ser desfeito. Os líderes não são raros. Quase todos nós somos líderes. O diretor executivo, o regente da orquestra sinfônica ou o diretor da escola não são os únicos líderes em suas respectivas instituições. Em meu papel como diretor executivo, eu contava com diversos vice-presidentes que trabalhavam para mim e que também eram líderes. O diretor da escola comanda chefes de departamento, treinadores, bibliotecários e assim por diante — cada um deles é um líder em sua própria esfera. O regente conta com os chefes de cada naipe instrumental. A maior parte das organizações possui muitos papéis de liderança. A verdade é que a maioria de nós é, ao mesmo tempo, seguidor e líder, sendo membro de uma equipe e líder de outra. E mesmo que tenha um emprego com poucos deveres de liderança, você talvez seja um líder em sua igreja, em sua vizinhança ou em sua família.

O "porquê" da liderança

Então por que a liderança é importante para Deus? É provável que você esteja lendo este livro porque tem a intenção de se tornar um líder melhor na profissão que escolheu. Você trabalha com dedicação e deseja obter reconhecimento, promoções, maiores responsabilidades e, é claro, mais dinheiro. Esses elementos representam o "quê". Talvez sejam o que você deseja alcançar, mas não respondem às perguntas quanto ao "porquê". Por que você faz o que faz? Por que o seu trabalho é importante para Deus? As perguntas quanto ao "porquê" começam a explorar fatores como propósito e significado, o que requer que pensemos com muito mais profundidade sobre nossa vida em Cristo.

Para a maioria de nós, não parece haver muita conexão entre o Deus que adoramos aos domingos e o trabalho que realizamos às segundas-feiras. Passei 23 anos de minha vida trabalhando em empresas que vendiam desodorantes, brinquedos e jogos, e louças finas (Gillette, Parker Brothers Games e Lenox China). No entanto, será que Deus se importava mesmo com meu trabalho nesses lugares? E será que meu trabalho importava mesmo para os propósitos mais amplos de Deus no mundo? A resposta é um retumbante "sim", mas talvez por motivos que não sejam evidentes de imediato. A fim de entendermos como nosso trabalho se conecta à nossa fé, precisamos retornar à nossa Bíblia para discernir bem o que Deus quer realizar no mundo e por que nós, aqueles entre nós que seguimos Jesus, desempenhamos um papel tão crucial na execução do plano de Deus. Existe um panorama geral aqui que precisamos enxergar se quisermos algum dia entender como nossa vida — e o que fazemos com ela — é importante para Deus. Para colocar a questão em termos de negócios, nossa missão ou vocação pessoal precisa fluir da missão de Deus em nosso mundo. Por isso, peço-lhe alguma paciência enquanto discorro sobre um pouco de teologia. Afinal, se não compreendermos os fundamentos teológicos de nossa vocação, o trabalho que realizamos por quarenta ou cinquenta horas semanais por talvez quarenta anos não estará muito bem integrado à nossa fé.

Deus nos chama para que nos juntemos a ele na transformação do mundo

Esta declaração é a base de meu entendimento da missão de cada seguidor de Jesus Cristo em nosso mundo: acredito que Jesus veio para incitar uma revolução que mudaria o mundo de maneira profunda e fundamental. Uma revolução que ele chamaria de a vinda do reino de Deus.

Se você ler os quatro evangelhos procurando pelas palavras "reino de Deus" ou "reino dos céus", concluirá que a preocupação principal de Jesus era com a *vinda* desse reino. Essa ideia da "vinda do reino" é mencionada mais de uma centena de vezes nos evangelhos, na maioria das vezes pelo próprio Jesus. Seguindo adiante com esse raciocínio, após uma releitura dos evangelhos com o foco no termo "reino", é provável que você conclua que a missão central da encarnação de Jesus foi iniciar e estabelecer de forma deliberada o reino de Deus na terra.

> Jesus veio para incitar uma revolução que mudaria o mundo de maneira profunda e fundamental.

Então do que se trata exatamente essa vinda do reino de Deus? Em essência, era a visão transformadora de Jesus de um novo relacionamento entre Deus e a humanidade — um relacionamento que agora passaria a curar o quebrantamento da raça humana e renovaria a criação de Deus, moldando-a ao caráter e semelhança de Deus. Era a visão dele de um novo modo de vida, um novo sonho para a sociedade humana que viraria do avesso os valores do mundo à medida que as pessoas decidissem viver sob o governo de Deus e segundo seus valores. E ele intencionava mudar o mundo.

Na introdução deste livro, citei 2Coríntios 5.20, o versículo que pintei na parede de meu escritório, que nos convoca a nos tornarmos embaixadores de Cristo. Entretanto, examinemos agora esse versículo em seu contexto original.

> Logo, todo aquele que está em Cristo se tornou nova criação. A velha vida acabou, e uma nova vida teve início! E tudo isso vem de Deus, aquele que nos trouxe de volta para si por meio de Cristo e nos encarregou de *reconciliar* outros com ele. Pois, em Cristo, Deus estava *reconciliando* consigo o mundo, não levando mais em

conta os pecados das pessoas. E ele nos deu esta mensagem maravilhosa de *reconciliação*. Agora, portanto, somos embaixadores de Cristo; Deus faz seu apelo por nosso intermédio. Falamos em nome de Cristo quando dizemos: *"Reconciliem-se com Deus!"*. Pois Deus fez de Cristo, aquele que nunca pecou, a oferta por nosso pecado, para que por meio dele fôssemos declarados justos diante de Deus.

2Coríntios 5.17-21

Há muito a analisar nessa passagem, mas permita-me chamar sua atenção para a ideia de *reconciliar/reconciliação*, mencionada repetidas vezes nesses versículos. Em grego, a palavra para reconciliação é *katallagē*, que significa "restauração do favor (divino)".[1] O dicionário Merriam-Webster define *reconciliar* desta forma: "restaurar a amizade ou harmonia; tornar consistente ou congruente".[2] Em outras palavras, esse "ministério da reconciliação" diz respeito a restaurar a amizade e harmonia das pessoas com Deus e tornar tudo mais consistente e congruente com os desejos de Deus.

Num nível pessoal, essa reconciliação ocorre por meio do perdão de nossos pecados mediante a expiação de Cristo, que nos restaura para um relacionamento correto com Deus. No entanto, numa dimensão mais ampla, esse ministério de reconciliação também se estende ao mundo. Os seguidores de Cristo, agora perdoados e restaurados, buscam restaurar tudo de forma a receber o favor de Deus: os indivíduos, as famílias, as comunidades, as escolas, as empresas, as organizações, os governos e as nações. Deus nos convocou para nos envolver, no papel de seus embaixadores, em seu grande projeto de renovação e restauração de um mundo caído e quebrantado. Como seguidores de Cristo, somos convidados e direcionados a participar de sua grande missão redentora de resgate.

> Como seguidores de Cristo, somos convidados e direcionados a participar de sua grande missão redentora de resgate.

Na Oração do Pai Nosso, encontramos uma declaração impressionante que muitas vezes apenas recitamos de forma mecânica: "Venha o teu reino. Seja feita a tua vontade, *assim na terra como no céu*". A vinda do reino de Deus não se refere apenas a algum futuro celestial; há uma intenção clara de que ela se desenrole bem aqui na terra. Como seguidores de Jesus, somos enviados ao mundo para começar o processo de reconciliação de todas as coisas com Deus. Essa é a visão de Jesus: seus discípulos transformados transformando o mundo.

Cada um de nós se junta à revolução do reino de Jesus ao *repudiar* os valores deste mundo — a ganância, a arrogância, o egoísmo, o ódio, o racismo, o sexismo, a dominação, a exploração e a corrupção — e *modelar* os valores do reino de Deus: o amor, a justiça, o perdão, a integridade, o sacrifício, o encorajamento, a generosidade, a humildade, a inclusão e a compaixão. Somos convocados a nos tornar embaixadores e propagadores desses valores do reino, que servem para restaurar o quebrantamento da humanidade. "Logo, todo aquele que está em Cristo se tornou nova criação. A velha vida acabou, e uma nova vida teve início!" (2Coríntios 5.17).

Bombeiros do reino

Para deixar de lado a terminologia teológica, uma das maneiras que tenho utilizado para descrever essa missão do reino é compará-la à forma como os glóbulos brancos do sangue funcionam em nosso corpo. (Meu diploma de neurobiologia, recebido há tanto tempo, me garante apenas conhecimento suficiente para ser perigoso.) Basicamente, quando o corpo sofre um ferimento ou uma infecção, os glóbulos brancos correm para o local do problema para reparar, restaurar e curar. Ou, para utilizar outra metáfora, os glóbulos brancos são os "bombeiros" do corpo, apressando-se para apagar os incêndios. Creio que esse é um belo retrato do papel da igreja em nosso mundo quebrantado. Somos chamados para circular em cada parte de nosso mundo e de nossa cultura para levar cura e restauração sempre que encontrarmos algo quebrado. E o quebrantamento humano é encontrado em todos os lugares — nas famílias, nas comunidades, nas escolas, nas empresas e nos governos.

Como seguidores de Jesus Cristo, que foi o primeiro a curar nosso quebrantamento, somos todos chamados agora a ser seus embaixadores, servindo como seus agentes de cura e restauração onde quer que moremos ou trabalhemos. Esse é o "porquê" de nossa vida e de nosso trabalho. Onde quer que Deus tenha nos colocado, essa é nossa missão e propósito essenciais. É por isso que nosso trabalho é importante para Deus. O teólogo britânico N. T. Wright expõe a questão desta maneira:

> Como cristãos portadores da imagem de Deus e que o amam, como imitadores de Cristo cheios do Espírito que seguem Jesus e dão forma a este mundo, nossa tarefa consiste em anunciar a redenção ao mundo que descobriu sua condição caída; anunciar cura ao mundo que descobriu sua enfermidade; proclamar

amor e confiança ao mundo que conhece apenas exploração, medo e suspeita. [...] O evangelho de Jesus nos mostra a vanguarda de toda a cultura e nos impele a ocupá-la, articulando em narrativa e música, arte e filosofia, ensino e poesia, política e teologia e (Deus queira!) até em estudos bíblicos uma cosmovisão que formulará o desafio cristão historicamente arraigado para a modernidade e a pós-modernidade, tomando a dianteira no caminho [...] com alegria e bom humor, com suavidade, bom senso e verdadeira sabedoria. Creio que temos diante de nós a seguinte pergunta: Se não agora, então quando? E, se formos arrebatados por essa visão, talvez ouçamos também a pergunta: Se não nós, então quem? E se o evangelho de Jesus não é a chave para esse trabalho, o que é?[3]

Liderança para quê?

Você se decidiu a ler um livro sobre liderança, mas estas últimas páginas sobre teologia talvez o tenham levado a suspeitar que tenha comprado gato por lebre. Contudo, apenas quando você entender que está engajado numa revolução para mudar o mundo para Cristo é que o verdadeiro propósito de seu papel de liderança se tornará real. Os planos de Deus de reforma e redenção, à medida que seu reino vem "assim na terra como no céu", têm como alvo todas as instituições humanas. Os líderes modelam as comunidades, as corporações, as escolas, os hospitais, as instituições de caridade e os governos. Os líderes cristãos são capazes de moldá-las para adequá-las mais ao coração de Cristo, que ama as pessoas que lá trabalham.

Eu havia me perguntado se Deus se importava de fato com meu trabalho na Lenox, na Parker Brothers ou na Gillette. A resposta é afirmativa. O trabalho é inerentemente valioso conforme utilizamos nossos talentos e habilidades singulares de modo a refletir a criatividade de Deus a fim de gerar produtos e serviços que beneficiem a comunidade mais ampla. O trabalho também fornece empregos necessários para a sobrevivência de indivíduos e famílias. Entretanto, o que talvez seja mais significativo é que os locais de trabalho são importantes por serem instituições humanas repletas de pessoas com as quais Deus se importa. Deus quer que todos prosperem e sejam atraídos para um relacionamento com ele. Portanto, para o reino de Deus se expandir e crescer, cada instituição humana deve também ser renovada pelos valores e princípios da revolução de seu reino. As culturas organizacionais podem ser brutais ou vivificantes. A liderança boa e piedosa contribui para a prosperidade humana ao criar culturas e ambientes equitativos, justos e acolhedores.

Convocados a fazer a diferença

Alguns meses depois de ter deixado meu emprego como diretor executivo da Lenox China para me juntar à Visão Mundial, telefonei à minha antiga assistente executiva, Maureen, para ver como andava a situação na Lenox. A resposta dela me deixou perturbado. Ela disse algo como: "Rich, aqui as coisas não são mais as mesmas. A atmosfera é toda negativa. Parece que todos só pensam em si mesmos. Até a linguagem se tornou mais rude. Agora, as pessoas estão se magoando por aqui". Em seguida, ela me pediu: "Você pode voltar?". Depois de anos trabalhando juntos, sei que Maureen não era imparcial, mas o que ela estava me contando era que a liderança é relevante — ela faz a diferença. Para ser honesto, durante meus anos na Lenox, eu me perguntei mais de uma vez se minha fé cristã produzia alguma diferença. Mantinha uma Bíblia sobre a mesa e tentava tratar as pessoas de maneira humanitária e acolhedora, mas nem sempre sentia que estava fazendo alguma diferença para o Senhor. Contudo, em algum aspecto, eu estava modelando a cultura e os valores da Lenox para que fossem mais agradáveis a Deus. Os líderes cristãos moldam e influenciam as instituições, e isso é relevante. A integridade, a excelência, a humildade, o perdão, o encorajamento, a confiança e a coragem são os valores do reino de Deus. E quando os líderes encarnam esses valores, o mundo muda. Deus tem me colocado nas linhas de frente de sua revolução em um local que calhava de vender louças e cristais finos. A Lenox é relevante a Deus, e o local onde você trabalha também é.

> A liderança piedosa contribui para a prosperidade humana ao criar culturas e ambientes equitativos, justos e acolhedores.

2
Os planos que tenho para vocês
Um pouco de autobiografia

ESCRITURAS → "'Porque eu sei os planos que tenho para vocês', diz o Senhor. 'São planos de bem, e não de mal, para lhes dar o futuro pelo qual anseiam'" (Jeremias 29.11).

PRINCÍPIO DE LIDERANÇA → Deus tem se mantido presente em sua vida desde antes de você respirar pela primeira vez. Ele quer que você empregue todos os seus talentos, habilidades e experiências de vida a fim de que seja moldado e preparado para servir aos propósitos dele. Deus o está convocando a realizar o grande propósito dele em sua vida.

Se você acredita em um Deus que controla o que é grande, você acredita em um Deus que controla o que é pequeno. É para nós, é claro, que as coisas parecem "pequenas" ou "grandes".
Elisabeth Elliot

A visão em retrospecto é tão mais clara do que a previsão. Ao reexaminar minha vida e carreira, vejo com mais clareza as muitas formas como Deus moldou meu caráter e me direcionou os passos, algo pouco perceptível na época. E isto é o que aprendi sobre a liderança de Deus: embora ele sempre nos guie em direção do propósito que intenciona para nossa vida, ele também nos permite decidir se seguiremos ou não. A iniciativa precisa ser nossa. E "seguir" não envolve apenas as grandes decisões tomadas nos instantes em que nos deparamos com as encruzilhadas cruciais da vida. Seguir requer uma submissão diária, uma obediência constante nos pequenos momentos da vida. Siga-o nos pequenos aspectos e ele talvez o utilize para realizar grandes coisas. Você é as mãos e os pés de Deus neste mundo, e ele fará uso de você se permitir que ele o faça.

Todos começamos em algum lugar

Eu nasci e cresci em Syracuse, Nova York. Meu pai era um vendedor de carros usados que estudou até a oitava série, e minha mãe era uma arquivista que nunca terminou o ensino médio. Quando nasci, meu pai encomendou, com muito otimismo, um letreiro de neon para colocar sobre seu pequeno lote de carros usados com as palavras: "Ed Stearns & Filho — Carros Usados". Como a maioria dos pais, ele nutria esperanças de que o filho se tornasse bem-sucedido algum dia, mesmo que o sucesso sempre parecesse fora de seu próprio alcance. Meu pai era um tipo de figura trágica — um alcoólatra com poucos estudos e três casamentos fracassados. O problema com a bebida

> Siga Deus nos pequenos aspectos e ele talvez o utilize para realizar grandes coisas.

arruinou não apenas seus casamentos, mas também o levou à derrocada nos negócios. Após alguns anos, tudo desmoronou, criando uma espiral descendente que levou nossa família a se desmantelar. Meu pai nos amava, mas não tinha a capacidade de lidar com as pressões da vida. Quando acabou sendo forçado a declarar falência, minha mãe o deixou, e o banco executou a hipoteca de nossa casa. Aos dez anos de idade, vi minha família e meu mundo se despedaçar.

Nos anos que se seguiram, minha mãe, minha irmã e eu tivemos de cuidar de nós mesmos, enfrentando dificuldades financeiras, e nos mudar de uma casa alugada para outra até que terminei o ensino médio. É claro que as provações desses acontecimentos da infância me moldaram de diversas maneiras. Por um lado, fui forçado a me tornar mais independente, mas, por outro, instilou em mim um senso profundo de insegurança que me acompanhou até a maturidade.

Contudo, apesar da turbulência em minha vida, os Estados Unidos em que eu morava eram um país em que tudo parecia possível, e cresci numa época em que uma educação apropriada abria as portas ao mundo. Hoje, compreendo que também cresci numa época em que, apenas por ser um homem branco, me foram abertas oportunidades que estavam, na prática, fechadas para as mulheres e as minorias. O sonho americano não estava disponível por completo para todos, nem está hoje.

Quando menino, meu sonho era escapar daquilo que havia matado os sonhos de meus pais e encontrar uma vida melhor e diferente no outro lado. E embora minha infância difícil pudesse ter gerado obstáculos, ela teve, na verdade, o efeito oposto: motivou-me a trabalhar duro para evitar os erros que meus pais cometeram. Minha irmã mais velha, Karen, instilou em mim a ideia de que a educação ofereceria a nós dois uma saída. Portanto, em algum ponto no início da adolescência, depositei minha esperança na possibilidade de que algum dia eu entraria para uma das universidades da Ivy League, que minha irmã me garantia serem as melhores. Entretanto, para conseguir isso, eu sabia que precisaria de algo de que minha família não dispunha — dinheiro. Desse modo, trabalhei numa sucessão de empregos de verão e de meio período: entregando jornais, empacotando compras no mercado, vendendo pipoca no cinema e até limpando vasos sanitários numa casa geriátrica. Foram esses primeiros empregos que me ensinaram a base sobre trabalho, dinheiro e responsabilidade. E para chegar à faculdade de meus sonhos, tentei poupar quase todo centavo que ganhava, sem compreender muito bem que todos os meus anos de poupança mal pagariam pela matrícula de meu primeiro semestre.

Tudo é possível
Havia oito universidades na Ivy League, e uma delas, a Universidade de Cornell em Ithaca, no estado de Nova York, se situava a apenas oitenta quilômetros de minha casa em Syracuse. Uma vez que eu nunca havia viajado para outro estado, Cornell era o maior sonho que eu ousava entreter. Por isso, quando chegou a hora, essa foi a única faculdade na qual me inscrevi. Quando contei à minha mãe que queria ir para Cornell, ela chegou a dar risada. "E quem vai pagar por isso? Eu é que não, e com certeza não o bêbado do seu pai!" Respondi que eu não sabia bem como o faria, mas que encontraria um meio.

E foi o que fiz. Com ingenuidade juvenil, trabalhei bastante em minha inscrição, enviei-a, e fui aceito. Para meu espanto, recebi a oferta de várias bolsas de estudo cruciais que colocaram meu sonho ao meu alcance. Meu primeiro semestre em Cornell foi como um tratamento de choque. Considerando minha família e meu histórico educacional, descobri que estava completamente despreparado para competir com jovens acadêmicos que frequentaram escolas melhores e cujas famílias os apoiavam. Naquele primeiro ano, estudei com fervor, sabendo que minha situação era bem diferente da maioria de meus colegas: eu não contava com nenhuma rede de segurança, de forma que o fracasso não era uma opção.

Cornell me forneceu muito mais do que apenas uma educação — foi uma prova de fogo que me ensinou a pensar, raciocinar e sobreviver sob pressão; permitiu-me adentrar um novo mundo de possibilidades. Quatro anos mais tarde, eu me formei com um bacharelado em neurobiologia e comportamento animal — um diploma sem muito valor prático a menos que quisesse me tornar médico ou professor, o que não era o caso. Eu adorava ciências, mas neurobiologia havia sido uma má escolha para alguém com uma montanha de dívidas acumuladas em empréstimos estudantis e que precisaria encontrar um emprego logo após a formatura. Durante meu último ano na faculdade, sentindo uma pressão cada vez maior para encontrar trabalho remunerado, decidi me inscrever em escolas de administração para obter um MBA, com a ideia de que qualquer atividade é um negócio de alguma espécie. E um mestrado em administração me ajudaria a encontrar um emprego. Inscrevi-me em quatro escolas e fui aceito em três. Porém, a quarta era o grande prêmio — a faculdade que eu sonhava em frequentar — a Escola Wharton na Universidade da Pensilvânia. Ela sempre despontava como uma das duas ou três melhores escolas de administração dos Estados Unidos, e era outra das universidades da Ivy League.

Por esse motivo, fiquei arrasado quando não fui aceito. Na verdade, a escola me colocou numa lista de espera. Pelo menos eu não havia sido rejeitado. Ainda tinha uma chance. Wharton era mesmo a escola dos sonhos nos Estados Unidos — a escola cujo diploma representava o "bilhete de entrada" para o sucesso. Assim, decidi telefonar para o departamento de admissões para ver se eu conseguia convencê-los a me aceitar. Expliquei o quanto eu queria — não, precisava — entrar no programa deles, mas foi em vão. Recebi o discurso padrão: "Temos nosso processo e revisaremos a lista de espera em maio depois de verificar quantas vagas estarão disponíveis". Sem deixar me abalar, telefonei de novo na semana seguinte e expliquei mais uma vez o quanto queria frequentar aquela escola. Mesma resposta. Liguei de novo na semana seguinte, e na próxima e na próxima. Telefonei todas as semanas até o prazo final em maio. Eu queria aquilo. Então, por fim, uma carta chegou pelo correio. Eu não apenas havia sido aceito, mas também havia recebido uma bolsa de estudos substancial! Até hoje, não sei se minha persistência irritante fez alguma diferença, mas tenho de acreditar que ajudou. Naquele verão, para ganhar mais dinheiro, dirigi um táxi em Syracuse, transportando executivos que saíam do aeroporto ou se encaminhavam para lá. Minha aspiração era que, em apenas alguns anos, pela primeiríssima vez, eu fosse capaz de andar no banco de trás de um táxi.

Cheguei a Wharton naquele mês de setembro vestindo *shorts* cortados e sandálias, e com os cabelos até os ombros. Eu nem tinha nenhum terno ou gravata. Quanto tentei assistir à primeira orientação aos alunos novos, fui detido na porta por um segurança porque não me "parecia com um aluno de MBA". Precisei lhe mostrar minha identidade para conseguir entrar. Dentro do auditório, observei que quase todos os meus colegas eram entre cinco a dez anos mais velhos do que eu, trajavam ternos e carregavam maletas executivas. Após a orientação, fui direto ao barbeiro do *campus*. "Você consegue fazer com que eu me pareça com um aluno de MBA de Wharton?", perguntei. Ele abriu um grande sorriso e respondeu: "Será um prazer!". E me tosou como a uma ovelha.

Deus chama

Preciso retornar alguns meses, porém. Outro evento de enorme significado aconteceu comigo ao fim de meu último ano em Cornell: conheci minha futura esposa, Renée, num encontro às cegas — o encontro que mudaria minha vida para sempre. Contei essa história num de meus livros anteriores, mas vale a pena repeti-la aqui. Renée estava no primeiro ano. Para mim só faltava um mês para a graduação, por isso eu não esperava muito desse encontro às cegas tão pouco antes de deixar Cornell. E Renée era o que na época chamávamos de uma "maníaca por Jesus", com seu treinamento em evangelismo no movimento Cruzada Estudantil para Cristo. Formávamos um par estranho. Depois de quatro anos em Cornell, eu havia me tornado, na prática, um ateu que acreditava que Deus era para os fracos que precisavam de muletas, e eu não precisava delas. Assim, nosso encontro naquela noite foi um choque de visões distintas do mundo. Éramos tão diferentes que era difícil encontrar assuntos sobre os quais conversar. Em algum ponto durante a noite, porém, houve um lapso em nossa conversa e Renée abriu a bolsa, retirando de dentro um livreto chamado *As quatro leis espirituais*. Não sei hoje, mas naquele tempo cada membro da Cruzada Estudantil para Cristo havia sido treinado para utilizar aquele material como ferramenta de evangelismo. Ele guia a pessoa pelos passos necessários para se tornar cristã e, ao fim, pede por um compromisso.

Achei até um pouco engraçado quando ela me indagou se podia compartilhá-lo comigo. "Sério? Vai mesmo fazer isso?" Renée replicou que estava falando a sério e perguntou se podia continuar. Eu concordei e permaneci ali sentado enquanto ela me explicava com empenho a fé. Começou afirmando que Deus me amava e havia traçado um plano maravilhoso para minha vida. Recebi aquilo com ceticismo, escutando com impaciência à medida que ela avançava pelo livreto, já pensando em como recusar. Contudo, uma página perto do fim me chamou a atenção. Exibia dois pequenos diagramas de uma cadeira ou "trono" e formulava a pergunta: "Quem está no trono de sua vida?". Um dos diagramas mostrava um trono com o "ego" sentado nele, cercado por caos e desordem. O outro mostrava Cristo no trono, produzindo uma vida coerente e ordenada. O ponto da questão era que, para eu me tornar um seguidor de Cristo, teria de permitir que ele controlasse minha vida e me render. Minha reação foi visceral: "De jeito nenhum!". Eu havia sobrevivido à infância e aos anos de faculdade assumindo o controle de minha própria vida e sem confiá-la a mais ninguém, e não pretendia mudar agora. Sugeri a Renée que, embora tudo aquilo fosse interessante, talvez não fosse para mim. No entanto, uma vozinha dentro de mim me encorajava a reconsiderar, a escutar o que Renée havia explanado. Acabamos tendo uma excelente conversa sobre a vida, a fé, nossas esperanças e sonhos para o futuro, e percebi que havia algo naquela jovem que me atraía. Uma faísca havia se acendido entre nós. E pelo mês seguinte até minha graduação, nós nos encontramos quase todos os dias.

Naquele verão, décadas antes da existência de *e-mails* e celulares, trocamos cartas todos os dias, ela na Califórnia e eu de volta a Syracuse dirigindo meu táxi. O relacionamento pareceu se tornar cada vez mais sério. Entretanto, quando chegou novembro, durante meu primeiro semestre em Wharton, Renée tomou a difícil decisão de romper nosso relacionamento, aceitando por fim que eu não nutria nenhum interesse em sua fé cristã. Ela sabia que jamais se casaria com alguém que não compartilhasse suas crenças mais profundas. Foi doloroso para nós dois, mas demonstrou a coragem dela ao se manter firme em suas crenças, qualquer que fosse o custo.

Meus pais não eram religiosos. Em termos culturais, eram católicos, mas nunca frequentavam a igreja. Na época, ser divorciado costumava significar que você não era bem-vindo na igreja. Desse modo, cresci sem ninguém que me servisse de modelo religioso. Meus anos de independência haviam me convencido de que a religião era para os fracos, e depois de quatro anos estudando ciências em Cornell, eu pretendia fazer tudo do meu jeito, como Frank Sinatra pregava em sua famosa canção "My Way".

Contudo, a decisão de Renée me deixou desolado e me impulsionou numa jornada para entender mais sobre esse tal Jesus que havia feito com que eu perdesse o amor de minha vida. Havia muito a aprender. Por isso, comecei a ler, estudar e fazer todas as perguntas sobre Jesus e a fé cristã que me ocorriam. Meses mais tarde, depois de ler mais de cinquenta livros sobre apologética cristã, filosofia e religião comparada, retornei àquela questão: quem está no trono de minha vida? E o que é mais importante: quem eu queria que estivesse no trono de minha vida? E naquele exato momento eu compreendi. Percebi que me render era o único caminho para a fé, e que a fé em Jesus Cristo era o único caminho para uma vida plena. Por meio de minha leitura, convenci-me de que Jesus era mesmo quem ele dizia ser, o Filho do Deus vivo. E assim, naquele mesmo dia, em meu dormitório na Escola Wharton, depois de concluir um último livro, *Milagres*, de C. S. Lewis, eu me rendi. Declarei: "Que seja feita a tua vontade, e não a minha", e prometi que, a partir de então, viveria com Jesus no trono de minha vida. Murmurei algumas palavras sobre fazer aquilo que ele me convocasse a fazer, ir aonde me ordenasse e ser quem ele quisesse que eu fosse. Mal sabia eu os planos que ele havia traçado para mim. Aquela decisão alterou toda a trajetória de minha vida.

Avance o peão para a propriedade de luxo

Agora, prosseguirei mais rápido. Sim, Renée e eu reatamos o relacionamento e nos casamos dezesseis meses mais tarde, logo após nossas respectivas formaturas. E Wharton representou mesmo um "bilhete de entrada". Em meio a uma recessão, recebi quatro ofertas de emprego e fui contratado pela Gillette Company em Boston, onde meu primeiro emprego foi ajudar a promover desodorantes para as axilas e para os pés, além de creme de barbear. (Todos precisam começar de algum lugar.) E tive a oportunidade de andar no banco de trás de táxis com alguma regularidade. Quando comecei a trabalhar na Gillette, Renée passou a frequentar a escola de direito na Faculdade de Boston e se tornou advogada, fornecendo serviços jurídicos aos pobres.

Depois de dois anos vendendo creme de barbear e desodorantes, deixei a Gillette para um emprego melhor na Parker Brothers Games em Salem, no estado de Massachusetts. Adorei meu novo emprego. Eu era pago para jogar Banco Imobiliário, Detetive, Sorry e Risco! A Parker Brothers também havia inventado a bola Nerf e, no início da década de 1980, entrou para o mercado emergente de *videogames*. Passei os nove anos seguintes lá. As oportunidades de promoção surgiram rápido. Parecia que eu estava no lugar certo na hora certa o tempo todo. Depois de sete anos, mesmo que completamente despreparado para a função, fui promovido para o cargo de presidente e diretor executivo, ainda aos 33 anos de idade. Renée passou a me chamar de "menino dos negócios".

Era com isso que eu havia sonhado. Havia conseguido superar os desafios de meu histórico familiar. Com muita ingenuidade, imaginei que passaria toda a minha carreira na Parker Brothers, mas logo descobriria que Deus tinha outros planos para mim além de jogos e bolas Nerf. Durante aqueles anos, Renée e eu iniciamos uma família, e os primeiros três de nossos cinco filhos nasceram.

No deserto

Tudo em nossa vida pareceu correr bem durante aqueles anos — até que a situação se inverteu. Menos de dois anos depois de ser nomeado presidente, fui despedido de forma abrupta quando a empresa mudou de proprietário. Perder o emprego é sempre difícil, mas, para mim, foi especialmente traumático. Num único instante, tudo pelo que eu havia trabalhado havia desaparecido, e me vi me debatendo com minhas velhas ansiedades de infância quanto à insegurança e à possibilidade de fracasso. Em vez de levar o tempo adequado para refletir com o Senhor, lancei-me numa busca por outro emprego e aceitei a primeira oferta que me apareceu. Fui contratado quatro meses mais tarde pela Franklin Mint, que comercializa itens de coleção pelo correio, e nos mudamos com nossa família crescente de Massachusetts para a Pensilvânia. No entanto, apenas nove meses mais tarde, fui despedido de novo. A segunda vez foi ainda mais penosa. Desta vez, porém, passei longas horas com o Senhor, orando e lendo as Escrituras. Era óbvio que Deus estava tentando capturar minha atenção e utilizou esse tempo "no deserto" de maneira poderosa. Falarei mais sobre isso adiante.

Depois de mais nove meses de oração, reflexão e busca por um novo emprego, ofereceram-me uma posição na Lenox, a grande fabricante tradicional de louças e cristais finos nos Estados Unidos. Devo dizer que liderar uma empresa de louças finas não era meu sonho de infância, mas mesmo assim me senti entusiasmado para voltar ao trabalho. Eles me contrataram para ser o presidente da menor de suas divisões, que por muitos anos vinha perdendo dinheiro, mas a oportunidade representava um pé na porta de uma grande empresa. Portanto, aceitei e investi meus esforços em minha nova posição com gratidão a Deus.

Tudo correu muito bem para mim na Lenox à medida que cresci em termos profissionais, conheci muitas pessoas novas e coloquei minha carreira de volta nos trilhos, desta vez com um senso maior de como minha fé se integrava ao meu trabalho. Passei os próximos onze anos na Lenox, e recebi promoções consecutivas até chegar a diretor executivo. Eu havia retornado ao topo, afinal, e me sentia grato a Deus por essa nova época em minha vida.

Os planos que tenho para você

Mais uma vez, pensei que passaria o resto de minha carreira profissional na Lenox. Entretanto, Deus... isso mesmo, Deus tinha outros planos para nossa vida. Esses planos se revelaram certo dia quando um recrutador executivo me telefonou para me informar que o ministério cristão Visão Mundial estava à procura de um novo diretor executivo. Pelo jeito, meu currículo era perfeito: neurobiologia, desodorantes, jogos de tabuleiro, itens de coleção, e louça e cristais finos. Sim, eu era o candidato ideal para uma função que envolvia ajudar as crianças mais pobres do planeta. Contudo, aquele telefonema acabou mudando nossa vida. Deus estava me convidando para trocar meu sucesso por algo muito mais significativo, mas eu teria de abandonar minha versão do sonho americano. Deus mais uma vez me pedia que rendesse minha vida à sua vontade, e essa rendição não me veio com facilidade. Porém, ele vinha me preparando para aquele momento havia anos.

Com enorme apreensão, pedi demissão de meu emprego de diretor executivo da Lenox, e Renée e eu nos mudamos com nossos cinco filhos da região da Filadélfia para Seattle. Passei os vinte anos seguintes na Visão Mundial, viajando quase três milhões de milhas e visitando cerca de sessenta países, muitas vezes com Renée ao meu lado. Aquela se provou ser a grande aventura de nossa vida.

Rememorando todas aquelas experiências, vejo hoje que Deus guiou minha vida desde o início. Enquanto eu lutava para controlar meu próprio destino, mesmo ainda quando criança, Deus estava me chamando para me desprender e confiar nele. Quando segui atrás de meus sonhos em Cornell e Wharton, Deus estava me preparando para substituir meus sonhos pelos dele. E à medida que subi a escada corporativa, Deus estava me ensinando a ser fiel e a me render a seus propósitos. A rendição não é um ato natural para a maioria de nós. Preferimos nos manter no controle de nossa vida.

O apóstolo Paulo observou que o poder de Deus só se aperfeiçoa por meio de nossa fraqueza, uma ideia que causa perplexidade a um líder. Foi na Visão Mundial que por fim entendi esse conceito: a força de Deus por meio de nossa fraqueza. Com um cargo que envolvia lidar com alguns dos problemas mais antigos enfrentados pela raça humana — pobreza, fome, doenças, conflitos, ódio étnico, tráfico de pessoas e até mesmo genocídio —, minhas fraquezas e inadequações foram expostas. Eu me descobri atolado até o pescoço. Foi então que me rendi por completo. E, como um líder cristão, a rendição é onde sua liderança deve começar.

> O poder de Deus só se aperfeiçoa por meio de nossa fraqueza, uma ideia que causa perplexidade a um líder.

3
Rendição
Seja feita a tua vontade, e não a minha

ESCRITURAS → "Se tentar se apegar à sua vida, a perderá. Mas, se abrir mão de sua vida por minha causa, a encontrará" (Mateus 16.25).

PRINCÍPIO DE LIDERANÇA → O ponto de partida da liderança cristã é a rendição total.

A maior crise que enfrentamos é a rendição de nossa vontade.
Oswald Chambers

Deus toma aquilo que é nada e transforma em algo. Quando você se torna cristão, não é capaz de remendar seu cristianismo sobre sua velha vida. Precisa começar de novo. Receba o chamado de Deus como uma promoção. Queime as pontes antigas de forma a ter certeza de que nunca poderá retornar; a partir daí, sirva a Deus com todo o coração.
A. W. Tozer

Líderes nunca se rendem. Líderes assumem o controle. Líderes são severos e exigentes. Líderes nunca demonstram fraqueza. Esses são truísmos sobre a liderança que aprendi em meus anos no mundo corporativo, e que ainda são prevalentes hoje. Entretanto, esses não são os caminhos a serem trilhados por um seguidor de Jesus Cristo. O líder cristão deve marchar a um toque diferente do tambor.

Quando consideramos a questão, muito de nossa fé cristã é paradoxal e até mesmo contraintuitiva. Jesus precisou morrer a fim de nos trazer vida. Se almejamos atingir a grandeza, precisamos primeiro nos tornar servos. De nossa fraqueza Deus produz a força. E para o líder cristão, a rendição é o pré-requisito para qualquer vitória. Na realidade, o próprio ato de se tornar cristão começa com uma rendição total. Deus nos quer por inteiro. Quer que nos desapeguemos de tudo que nos é caro em nossa vida e depositemos essas coisas a seus pés e a seu serviço. Só então seremos de fato úteis a Deus. Ele não aceita uma vida compartimentada em que nossa carreira é mantida isolada e fora de nossa submissão total aos propósitos dele.

Contudo, a maioria de nós não gostaria de render o controle de nossa vida por completo. Há aspectos que não queremos render, por isso tentamos negociar com Deus. "Senhor, eu te entregarei a maior parte de minha vida, mas tenho algumas condições e restrições." E todos nós temos aquela lista de itens que ainda desejamos controlar. Talvez seja trabalho, dinheiro, tempo, estilo de vida, os negócios da família, maus hábitos ou até o local onde moramos. Todavia, Deus não está interessado em negociar nossos termos de rendição. Ele nos quer inteiros. Nas palavras de Oswald Chambers: "Se você nunca foi além de fazer pedidos a Deus, nunca chegou ao ponto de entender o mínimo do que a rendição realmente significa. Você se tornou cristão baseado em seus próprios termos".[1]

Posto por Deus no banco de reservas

Aprendi uma lição sobre a importância da rendição da maneira mais complicada dez anos depois de iniciar minha carreira. Eu havia me tornado tão focado em minhas ambições profissionais que perdi a noção de minha identidade como embaixador de Cristo. Sem ter me dado conta, aos poucos eu havia compartimentado minha carreira e separado-a do resto de minha vida. Tornar-me diretor executivo com todas as regalias do dinheiro, *status*, reconhecimento e poder era, ao mesmo tempo, intenso e empolgante. Aquilo passou a me consumir por completo de uma forma que marginalizava outras dimensões de minha vida. Pelo jeito, para restaurar o equilíbrio, eu precisava apertar o botão de reinicialização. Assim, Deus me "tirou de campo" e me colocou no banco de reservas para passar algum tempo com o treinador.

Dois anos depois de me tornar diretor executivo da Parker Brothers, fui despedido sem cerimônias. Por causa do declínio acentuado nos rendimentos e da volatilidade geral em seu setor de brinquedos, a General Mills, a empresa-mãe da Parker Brothers, tomou a decisão de desmembrar todas as suas empresas de brinquedos para formar uma empresa separada de capital aberto. Ao fazer isso, decidiram substituir a maioria dos presidentes de divisão de forma a apresentar a nova empresa à Wall Street com equipes de administração recém-formadas. Portanto, após minha ascensão meteórica, vivenciei uma queda ainda mais veloz. E isso foi incrivelmente doloroso.

Nos dois anos que se seguiram, encontrei outro emprego, mudei-me com minha família para outro estado, fui demitido de novo e passei um total de cerca de catorze meses desempregado. Lembro que minha esposa me advertiu: "Seja qual for a lição que Deus esteja tentando ensinar a você, por favor, aprenda-a logo para que você volte a trabalhar". Era verdade que Deus estava negociando comigo naquela época. Se for para ser brutalmente honesto comigo mesmo, eu me havia enamorado um pouco de meu sucesso inicial. Embora minha identidade fosse de um seguidor de Jesus Cristo, minha carreira era uma parte de minha vida que eu tendia a administrar longe de Deus. Claro, tentei ser um bom cristão no local de trabalho, mas não havia conectado por completo o Deus que eu adorava nos domingos ao trabalho que eu realizava na segunda-feira. E não entendia de fato de que modo minha responsabilidade como embaixador de Cristo deveria ter precedência em minha vida em relação a todas as outras prioridades.

Ser despedido é humilhante. A maioria de nós se define de maneira profunda pelo trabalho que realiza e pelos títulos que detém. Por isso, quando esses elementos nos são retirados, passamos por uma crise de identidade e uma sensação de perda e luto que nos abala até o âmago. Para mim, porém, ser despedido acabou se provando ser a melhor forma, talvez a única, de Deus atrair minha atenção. Quando se está "desempregado sem querer", Deus obtém sua atenção completa e exclusiva. Você se sente indefeso e impotente, o que é, na verdade, justamente como Deus quer que nos sintamos diante dele. Pois quando nos sentimos poderosos e no controle de nossa vida, Deus recorre a caminhos mais árduos para atrair nossa atenção.

Aquela época dolorosa foi o melhor e mais longo período devocional de minha vida, pois nenhuma exigência competia por minha concentração, e eu dependia por completo de Deus, já que todos os meus sistemas de apoio haviam sido levados embora. Durante aqueles longos meses, tomado pela angústia, reclamei e choraminguei muito a Deus. "Por quê, Deus? Por que isso aconteceu? Ajuda-me, Senhor, ajuda-me a encontrar um novo emprego. Tenho uma família para sustentar. Por que eu, Senhor?" Eu não apreciava a sensação de não estar no controle. Por que Deus havia me tirado do campo daquele jeito? Ocorre que minha penosa crise de identidade era justamente o que Deus queria que eu vivenciasse.

A resposta pela qual estava procurando me veio certo dia, durante meu momento de oração, na forma de uma lembrança da infância. Eu havia sido educado como católico, e me lembrei de ter estudado o catecismo para me preparar para a primeira comunhão quando tinha cinco ou seis anos de idade. Havia perguntas e respostas que precisávamos memorizar, e as freiras nos testavam todas as semanas. Uma daquelas perguntas era simples e profunda: "Por que Deus o criou?". E trinta anos depois de ter decorado a resposta pela primeira vez, eu ainda a recordava. "Deus me criou para conhecê-lo, amá-lo e servi-lo nesta vida."[2] As palavras me retornaram como um raio. O que Deus queria que eu realizasse na Parker Brothers? Conhecê-lo, amá-lo e servi-lo naquele local enquanto eu lá estivesse. O que Deus queria que eu realizasse em meus dias de desemprego? Conhecê-lo, amá-lo e servi-lo naquelas circunstâncias. E quando por fim encontrei outro emprego, o que Deus queria que eu fizesse lá? Você já entendeu: conhecê-lo, amá-lo e servi-lo naquele novo local. Talvez isso lhe soe tão simplista a ponto de ser ridículo, mas é bem isso que Deus espera de nós. Uma vez que sejamos perdoados e transformados pelo sacrifício de Cristo, nós nos tornamos sua propriedade; somos uma nova criação convocada a conhecê-lo, amá-lo e servi-lo pelo resto de nossa vida terrena. Recebemos uma nova identidade, uma nova vocação. Era tão simples. Aquela era a lição que Renée havia torcido para que eu aprendesse com Deus. E aquela lição mudou tudo.

> Somos uma nova criação convocada a conhecer, amar e servir a Cristo pelo resto de nossa vida terrena.

Alguns meses mais tarde — nove para ser exato — fui contratado pela Lenox para dirigir uma pequena divisão. Havia retornado ao trabalho, afinal. E ainda me recordo de minha oração naquela primeira manhã à minha mesa no escritório. "Senhor, estou tão grato por este novo trabalho que me concedeste. Obrigado! Mas, Senhor, mostra-me como conhecer-te, amar-te e servir-te hoje neste local. Não estou aqui para vender mais louças. Não estou aqui para obter aumentos ou promoções. Estou aqui com um único propósito: conhecer-te, amar-te e servir-te em meio às outras pessoas que tu colocaste aqui comigo." Isso foi há 33 anos, e tentei viver aquela oração todos os dias desde então. Entenda, se queremos de fato devotar nossa vida e carreira a Cristo, render-se a seus propósitos não é apenas um evento pontual, mas uma necessidade diária.

Temos essa única função

Você já foi a um restaurante onde o garçom parecia desatento a todos os seus chamados? Você espera por vinte minutos para que ele atenda a sua mesa, depois mais vinte antes que ele anote o seu pedido. E o restaurante nem está muito cheio ou com poucos funcionários. Quando a comida enfim chega, você percebe que ele se enganou em todos os pratos e se esqueceu totalmente da porção de couve-de-bruxelas. Encher seu copo de água — seria pedir demais. Então, para piorar ainda mais a situação, ele o força a esperar por mais vinte minutos pela conta, que inclui uma taxa de serviço de 20% "para a sua conveniência". Ou talvez você tenha lidado com a atendente de uma loja que o ignora por completo, pois está no telefone com a amiga enquanto você aguarda com impaciência (no amor de Cristo) para pagar por sua nova Bíblia.

> Render-se aos propósitos de Cristo não é apenas um evento pontual, mas uma necessidade diária.

Sei que mais de uma vez resmunguei baixinho a expressão: "Você só tem essa função, e nem isso é capaz de fazer?". É algo que costumamos dizer ou pensar quando alguém com uma responsabilidade de trabalho muito clara não consegue realizar aquela única atividade que o trabalho exige, em geral porque as pessoas não entendem bem o que aquela "única função" seria ou porque se veem tão distraídas com outras questões que parecem não conseguir realizá-la.

Bem, prepare-se para uma reviravolta: imagino que Deus talvez resmungue baixinho essa mesma frase ao observar como vivenciamos nossa fé. Num capítulo anterior, descrevi com algum pormenor a única função que cada cristão tem de "juntar-se à revolução" que Jesus chamou de a vinda do reino de Deus. A Grande Comissão, de fazer discípulos de todas as nações, e o Grande Mandamento, de amar o próximo como a nós mesmos, representam a tarefa urgente que Jesus passou a seus seguidores logo antes de partir. Eram ordens, não sugestões — ordens para nos juntarmos a Cristo na reconciliação do mundo com ele. Deus começou o processo de restaurar a criação e de ajustar os rumos do mundo, e nos convidou a nos juntarmos a ele nessa vocação como seus embaixadores. Essa é, na realidade, nossa única função, nosso chamado divino, nossa nova identidade, e a única tarefa que ele nos passou. Entretanto, assim como o garçom incompetente ou a atendente distraída, é comum que os cristãos não levem a sério a única função que Cristo lhes atribuiu.

Quando deixamos a igreja no domingo e entramos em nosso local de trabalho na segunda-feira, há um choque cultural abrupto. A linguagem é diferente, os valores são diferentes, e o teor de nosso emprego muitas vezes não tem nada a ver com nossa fé cristã. Na verdade, em locais de trabalho seculares, não raro há regras e normas que proíbem o diálogo religioso no escritório. É fácil entender por que deixaríamos o domingo para trás e mergulharíamos nas exigências e realidades tão diferentes do ambiente de trabalho. E como passamos quarenta horas ou mais todas as semanas interagindo no trabalho, é quase inevitável que nossa fé seja compartimentada e isolada num "cubículo" separado, a menos que evitemos de maneira deliberada esse desfecho. O resultado é que nossa própria identidade se torna fragmentada. Em casa e na igreja somos seguidores de Jesus, e no trabalho somos algo bastante diferente. Não só fracassamos em desempenhar nossa "única função", mas até começamos a perder nosso senso de identidade como embaixadores de Cristo.

Somos convocados para um propósito

Muitas vezes nos confundimos sobre como nossa carreira e vocação se intersectam com nossa fé e chamado. No entanto, veja a questão por este prisma. Sua carreira é apenas o cenário em que você vivencia seu chamado para servir como embaixador de Cristo. Você talvez seja um embaixador de Cristo numa escola, numa corporação, num hospital, num governo ou em sua vizinhança. O aspecto crítico a não se perder de vista é que seu chamado cristão de servir a Deus nesta vida se situa acima de sua carreira ou ocupação. Como o garçom infeliz de minha ilustração anterior, só temos essa função. Ela nos foi atribuída por Deus e tem precedência sobre qualquer outra prioridade. Em termos simples, a função consiste em conhecer, amar e servir a Cristo ao nos juntarmos à sua revolução do reino de Deus para transformar o mundo.

> Sua carreira é apenas o cenário em que você vivencia seu chamado para servir como embaixador de Cristo.

Você já ouviu falar da série de televisão *The Americans* — aquela sobre um casal de espiões soviéticos que vivem disfarçados nos Estados Unidos na década de 1980? Eles moravam nos subúrbios, tinham dois filhos e administravam uma agência de viagens. Parecia uma família tradicional americana, mas não era. A agência de viagens não era seu trabalho de verdade. Seu trabalho real era servir a União Soviética e cumprir seus propósitos, e eles nunca permitiram que o "emprego de fachada" os distraísse de seu trabalho real. Haviam rendido a vida a um chamado superior. Claro, a metáfora não é perfeita, mas penso desta forma: meu propósito real na Lenox era servir a Jesus Cristo ao representar lá seus interesses. Eu estava lá "numa missão" para Jesus, com o objetivo de expandir seu reino e demonstrar sua graça e seu amor às pessoas com quem eu trabalhava. A fabricação e venda de louças finas não passavam de um disfarce.

O líder rendido

Contudo, você talvez se pergunte, e com muita razão: O que esse negócio de "rendição" tem a ver com liderança? Como ela faz a diferença no ambiente de trabalho? Aqui está a minha resposta: O líder rendido não tem nada mais a perder, pois já colocou tudo nas mãos de Deus. Não resta nada para temer ou proteger. Um líder rendido consegue se erguer acima das pressões e tensões diárias da vida e do trabalho. Um líder rendido não é limitado pelas mesmas preocupações, apreensões e prioridades que consomem os outros. Um líder rendido é convocado a um propósito mais elevado: conhecer, amar e servir a Deus nesta vida. Um líder rendido mostra-se e age de maneira diferente, pois não está mais concentrado em si mesmo.

> Um líder rendido não tem nada a perder, pois já colocou tudo nas mãos de Deus.

Dessa forma, quando os colegas observam um líder rendido, eles veem alguém atípico, que marcha a um toque diferente do tambor e cuja vida se foca em mais do que sucesso, *status* e dinheiro. Eles veem um líder que tenta exemplificar as qualidades de Jesus: integridade, humildade, encorajamento, perseverança, bravura e perdão. Esse tipo de líder valoriza o bem-estar das pessoas sob seu cuidado mais do que as exigências urgentes do momento. Esse tipo de líder incita questionamentos: Por que você parece diferente? Por que você se importa? O que o motiva? E as respostas para essas perguntas são encontradas no evangelho, nas boas-novas de que Deus os ama e que eles também podem abrir os braços para algo maior do que eles mesmos, algo nobre, puro e vivificador. É assim que levamos Cristo ao local de trabalho e as pessoas são atraídas para o reino de Deus. É assim que instituições e comunidades são modeladas e transformadas em algo mais agradável a Cristo. É assim que o mundo muda. Essa é nossa única função. "Se tentar se apegar à sua vida, a perderá. Mas, se abrir mão de sua vida por minha causa, a encontrará" (Mateus 16.25).

4
Sacrifício
Suicídio profissional

ESCRITURAS → "Enquanto andava à beira do mar da Galileia, Jesus viu dois irmãos, Simão, também chamado Pedro, e André. Jogavam redes ao mar, pois viviam da pesca. Jesus lhes disse: 'Sigam-me, e eu farei de vocês pescadores de gente'. No mesmo instante, deixaram suas redes e o seguiram" (Mateus 4.18-20).

PRINCÍPIO DE LIDERANÇA → Devemos sacrificar nossas ambições pelas ambições de Cristo para nós.

Não é tolo aquele que doa o que não pode manter
para ganhar o que não pode perder.
JIM ELLIOT

Se você não cortar as amarras que o prendem ao cais, Deus precisará utilizar uma
tempestade para parti-las e enviá-lo ao mar. Coloque tudo em sua vida a bordo com
Deus, saindo para navegar na grande maré crescente de seu propósito.
OSWALD CHAMBERS

Minha esposa me advertiu de que iniciar um livro sobre liderança com capítulos sobre rendição e sacrifício não seria a maneira mais convincente de motivar os leitores. Suspeito que capítulos sobre vitória e recompensas seriam muito mais atraentes, mas, infelizmente, esses são benefícios que nos são prometidos para a próxima vida, e não garantidos nesta. O dicionário Merriam-Webster oferece as seguintes definições para a palavra *sacrifício*: "o ato de oferecer a uma divindade algo precioso; destruição ou rendição de algo pelo bem de outra coisa; algo que se perde ou de que se abre mão".[1]

Essas definições atingem mesmo o ponto da questão. Quando rendemos nossa vida a Deus, isso vem com um preço. Haverá um custo real a ser pago, pois estamos substituindo nossas ambições, prioridades e sonhos pelos dele. Deus quer nos reprogramar. E haverá momentos em que o sacrifício se tornará bastante real e tangível. Precisamos nos lembrar da observação aguda de Madre Teresa de que Deus não nos chamou para termos sucesso, mas para sermos fiéis — para colocá-lo em primeiro lugar em nossa vida. E isso se aplica à nossa carreira assim como a outras dimensões de nossa vida.

Deixando o ninho para trás

Considere o exemplo de Pedro e André. Eram irmãos pescadores no mar da Galileia. Possuíam pelo menos um barco e se sustentavam pescando e vendendo peixes no mercado. Jesus os viu trabalhando e simplesmente os convidou: "Sigam-me". Eram pescadores judeus comuns, com pouca educação, e era improvável que fossem escolhidos como discípulos de qualquer rabino. Entretanto, Jesus lhes ofereceu a promessa enigmática de que os reprogramaria para transformá-los em "pescadores de gente". A maneira como responderam ao convite foi notável: "No mesmo instante, deixaram suas redes e o seguiram" (Mateus 4.19-20). Largaram tudo e seguiram Jesus de imediato, sem condições ou questionamentos. Mais cedo naquele dia, eles haviam escutado seus ensinamentos e testemunhado um de seus milagres no próprio barco. E assim, quando Jesus os convidou para que se juntassem a seu círculo interno, atenderam sem hesitação a esse chamado superior. Entenderam que seguir Jesus deveria ter precedência sobre tudo mais na vida deles.

Não sabemos ao certo qual era a situação socioeconômica de Pedro e André, mas podemos supor que tinham famílias para sustentar, e é improvável que contassem com muito dinheiro no banco ou com um plano de aposentadoria. Quando Jesus os chamou, porém, tão somente obedeceram, trocando a vida de pescador pela promessa incerta de uma vida como pregadores itinerantes. "E, assim que chegaram à praia, *deixaram tudo* e seguiram Jesus" (Lucas 5.11). Eles sacrificaram tudo para segui-lo.

A obediência imediata de Pedro e André nos coloca uma pergunta desconfortável, não é? Estaríamos dispostos, sem hesitação, a arriscar tudo por nossa fé? Esse é o requisito que Jesus nos apresenta. Jesus falou muitas vezes sobre o alto custo de se tornar seu discípulo. Na história do homem rico, Jesus confronta outro jovem a respeito da expectativa do compromisso total, mas com um resultado bastante diferente.

> Quando Jesus saía para Jerusalém, um homem veio correndo em sua direção, ajoelhou-se diante dele e perguntou: "Bom mestre, que devo fazer para herdar a vida eterna?".
>
> "Por que você me chama de bom?", perguntou Jesus. "Apenas Deus é verdadeiramente bom. Você conhece os mandamentos: 'Não mate. Não cometa adultério. Não roube. Não dê falso testemunho. Não engane ninguém. Honre seu pai e sua mãe'."
>
> O homem respondeu: "Mestre, tenho obedecido a todos esses mandamentos desde a juventude".
>
> Com amor, Jesus olhou para o homem e disse: "Ainda há uma coisa que você não fez. Vá, venda todos os seus bens e dê o dinheiro aos pobres. Então você terá um tesouro no céu. Depois, venha e siga-me".
>
> Ao ouvir isso, o homem ficou desapontado e foi embora triste, pois tinha muitos bens.
>
> Marcos 10.17-22

Analisemos apenas alguns elementos dessa poderosa história. Em primeiro lugar, esse jovem era sincero em sua fé. Queria fazer a coisa certa. Havia obedecido aos mandamentos, e é provável que pagasse o dízimo relativo à sua renda e praticasse com regularidade as exigências semanais de sua sinagoga. Era um bom judeu. É possível que estivesse esperando por alguma confirmação e talvez até mesmo um elogio desse novo rabino que ele havia viajado para ver. Realizar de forma mecânica os rituais ligados à nossa fé não é o mesmo que compromisso total. Deus exige tudo de nós. "Ainda há uma coisa que você não fez", alertou Jesus. "Vá, venda todos os seus bens e dê o dinheiro aos pobres. Então você terá um tesouro no céu. Depois, venha e siga-me." Repare que, quando decidimos seguir Jesus, ele espera muito mais do que nos ver frequentar a igreja, pagar o dízimo de 10% e participar de estudos bíblicos. Ele não será compartimentado — ele deseja tudo que temos. Ele quer a morte de nossa identidade anterior e que nosso único propósito na

> Realizar de forma mecânica os rituais de nossa fé não é o mesmo que compromisso total.

vida seja segui-lo. Jesus nos chama para largar de imediato as redes de pesca, sem nos apegar a nada. Esse é o tipo de sacrifício que ele solicita de nós. Você se lembra daquela definição? *Sacrifício: o ato de oferecer a uma divindade algo precioso.*

"Tudo" é um preço alto a pagar, mas Jesus não é um mestre cruel. Sua intenção não é de nos despojar de tudo que possuímos. Ele deseja apenas que reconheçamos que tudo que temos e tudo que desejamos ter pertencem a ele para que ele faça o que considerar melhor. Confiamos essas coisas a ele ao segurá-las com dedos soltos ao mesmo tempo que lhe passamos os títulos de propriedade. Não há nada de errado em ter ambições profissionais, querer um lar confortável e desfrutar da vida com os amigos e a família. Ele só pede que sempre o coloquemos em primeiro lugar, acima de nossas outras prioridades, e que lhe deixemos disponível tudo que temos e somos.

Esse tipo de compromisso se tornou real para mim quando recebi o telefonema do recrutador executivo perguntando-me se eu estaria disposto a largar meu emprego na Lenox e ir trabalhar para a Visão Mundial. No capítulo anterior, contei como comecei na Lenox depois de meses desempregado. Senti-me muito grato a Deus por me guiar pelo deserto até que eu chegasse à minha "terra prometida". Eu havia aprendido algumas lições valiosas sobre minha caminhada com o Senhor, mas, agora, na Lenox, eu havia "retornado ao campo" e imergi de imediato em minha nova função naquela empresa.

Em dez anos na Lenox, voltei a receber promoções, assim como havia acontecido na Parker Brothers, tornando-me presidente do grupo, diretor de operações e, por fim, diretor executivo de toda a Lenox. Deus me concedeu suas bênçãos naquela época de minha vida, e eu me sentia nas alturas. A vida era boa, não só no trabalho, mas em família também. Agora com cinco filhos, Renée e eu havíamos sido abençoados com um casamento e uma família excelentes. Havíamos comprado a casa de nossos sonhos, uma casa de cascalho construída em 1803 numa quinta de vinte mil metros quadrados, e estava empolgado com a ideia de criar nossos filhos lá.

Por isso, quando o telefone tocou certo dia e aquele recrutador me apresentou a oportunidade de deixar meu emprego de diretor executivo, receber um grande corte no salário, vender nossa casa e me mudar com a família para o outro lado do país, não senti grande entusiasmo. Aquilo com certeza não se encaixava em meus planos. Se a proposta tratasse de quase qualquer outro emprego, eu teria desligado. No entanto, aquele não era um emprego comum, nem era aquele um recrutador comum. Mais uma vez, Deus estava negociando comigo. Estava me perguntando se eu estava literalmente disposto a vender todos os meus bens, dar o dinheiro aos pobres e segui-lo.

Lembro-me de insistir com o recrutador de maneira enfática que eu não era qualificado, não tinha interesse e não estava disponível. A Visão Mundial era um dos maiores ministérios cristãos do mundo, ajudando todos os anos mais de cem milhões das pessoas mais pobres do planeta a obter comida, água, saúde, educação e oportunidades econômicas. Eu não entendia absolutamente nada sobre pobreza global. Não tinha experiência com organizações não lucrativas, nem treinamento teológico, nem habilidades em arrecadação de fundos. Lembre-se, minha "especialidade" havia sido vender brinquedos e jogos para crianças e louças caras para os abastados — o que não é bem o currículo perfeito para liderar a Visão Mundial. Além disso, eu tinha uma hipoteca considerável a pagar e cinco filhos que necessitariam de tratamento dentário e educação universitária. Havia trabalhado arduamente por décadas para chegar ao topo de minha profissão, e pedir demissão de meu emprego para ir trabalhar para um ministério seria, na prática, suicídio profissional.

Pensei que meus argumentos listando os motivos por que a Visão Mundial não iria me querer soavam bem convincentes. Entretanto, lá pelo meio da conversa, aquele recrutador persistente mudou de tática e me fez uma pergunta bombástica: "Rich, você está disposto a se abrir para a vontade de Deus em sua vida?". Certo, você não tem como responder não a essa pergunta, não é? Caso responda sim, porém, isso o levará aonde não deseja ir. O que ele estava me perguntando na realidade era se eu havia rendido minha vida por completo a Cristo. Será que eu ainda estava me apegando a algo? Será que estava pronto para o sacrifício — para largar minhas redes de pesca e segui-lo? Será que havia entendido *mesmo* a resposta àquela velha pergunta do catecismo: "Por que Deus o criou?". Eu sabia a resposta correta: para conhecê-lo, amá-lo e servi-lo nesta vida. Contudo, será que estava pronto e disposto a fazer isso? Será que não me encontrava na mesmíssima posição do jovem a quem Jesus alertou que faltava fazer uma coisa?

A história daquele homem termina com um desfecho devastador: "Ao ouvir isso, o homem ficou desapontado e foi embora triste, pois tinha muitos bens". Ele não foi capaz de fazer o que Jesus lhe pediu e, por esse motivo, se afastou com tristeza, talvez percebendo que sua fé não era o suficiente para render tudo em termos literais. Tive a mesma reação visceral que aquele homem deve ter tido. Senti-me desconsolado e muito abatido. Eu poderia de fato me afastar de tudo pelo que havia trabalhado? Poderia simplesmente abandonar minha carreira, deixar os amigos, vender a casa e me mudar com minha família? Qual é, Jesus, eu não fui um bom cristão todos esses anos? Preciso mesmo lhe dar tudo? "Ainda há uma coisa que você não fez, Rich. Vá, venda todos os seus bens e dê o dinheiro aos pobres. Então você terá um tesouro no céu. Depois, venha e siga-me." E como aquele jovem rico, eu quase me afastei, relutante em dar o que Jesus me pedia.

Como já escrevi num livro anterior, não aceitei o emprego na Visão Mundial com grande entusiasmo ou qualquer sensação de alegria. Assolado pelo medo e pela incerteza, não me revelei nenhum super-herói cristão. Foi a coisa mais difícil que já me pediram que fizesse. No fim, aceitei a proposta, mas movido em grande parte por uma obediência rancorosa. É por isso que admiro tanto a obediência inabalável de Pedro e André naquele dia em que largaram as redes de imediato. Não perguntaram sobre salários ou benefícios. Não houve nenhuma hesitação sobre se aquilo interromperia sua carreira de pescador, se interferiria com o equilíbrio entre o trabalho e a vida privada, ou se exigiria que assumissem riscos demais. (Ambos mais tarde morreram como mártires.) Em vez disso, perceberam a oportunidade de servir a Deus e de se alinhar a seus propósitos no mundo, e embarcaram por inteiro.

É provável que Deus nunca lhe peça para vender literalmente tudo que você possui e doar aos pobres. Entretanto, ele lhe pede que faça esse mesmo tipo de compromisso com ele neste exato momento. Ele quer que você tome tudo que tem e tudo que é e deposite aos pés dele para que ele faça disso — e de você — o que ele escolher.

O oleiro e o barro

Em muitas passagens da Bíblia, Deus utiliza a metáfora do oleiro e do barro. Deus é o oleiro, aquele que cria e modela o vaso com mãos firmes, e nós somos o barro.

> O Senhor deu outra mensagem a Jeremias: "Desça até a casa do oleiro, e eu lhe falarei ali". Fui à casa do oleiro e o encontrei trabalhando na roda. Mas o vaso de

barro que ele estava fazendo não saiu como desejava, por isso ele amassou o barro e começou novamente.

Então o Senhor me deu esta mensagem: "Ó Israel, acaso não posso fazer com vocês o mesmo que o oleiro fez com o barro? Como o barro está nas mãos do oleiro, vocês estão em minhas mãos".

Jeremias 18.1-6

Entendo um pouco sobre olaria e barro porque a Lenox, a empresa que liderei por uma década, era a principal "olaria" dos Estados Unidos. A Lenox fabricava muitos milhões de peças de cerâmica delicada todos os anos em três fábricas diferentes e manteve a distinção de criar a porcelana utilizada na Casa Branca em jantares formais de estado desde os dias do presidente Woodrow Wilson, no começo do século 20. Na Lenox, aprendi como mera terra e barro se transformavam em algo ao mesmo tempo belo e útil.

O oleiro deve primeiro amassar o barro sob pressão até que este atinja a exata consistência para que consiga tomar e manter o formato desejado. Então, esse barro cru, frágil e prensado deve ir à fornalha e assar por muitas horas a temperaturas acima de mil graus para que endureça e para que quaisquer impurezas presentes evaporem. As peças que sobreviverem à prova sem rachar serão então cobertas com cuidado com esmalte de vidro líquido e enviadas de volta para o calor brutal do forno por horas, emergindo com o lustro encantador que caracteriza a mais bela porcelana. O processo, contudo, ainda não está completo. O oleiro deve então trazer a peça bem simples à vida ao pintá-la com cores e desenhos vibrantes e, em seguida, adorná-la de forma meticulosa com reluzente ouro 24 quilates. Aí ela volta para o forno de novo para ainda mais calor e mais fogo. Só então a obra de arte final está pronta para o serviço.

> O barro comum precisa ser transformado para se tornar a peça útil e aprazível que o oleiro intenciona criar.

Pressão e calor. Pressão e calor. A criação do oleiro é sujeita a pressão e calor repetidas vezes até que suas imperfeições evaporem. Nem todas as peças serão aprovadas. O barro precisa se render ao toque do oleiro. O barro quebradiço demais — que reluta a ser modelado — ou maleável demais — amorfo demais para manter o formato — não sobreviverá à aprovação.

O barro comum precisa ser transformado para se tornar a peça útil e aprazível que o oleiro intenciona criar. O barro precisa primeiro morrer antes que uma linda tigela, jarra ou vaso possa nascer, assim como precisamos morrer para o ego antes de nos tornarmos úteis e aprazíveis a Jesus. Isso requer que sacrifiquemos nossas ambições em troca das que Cristo tem para nós, confiando nele à medida que ele trabalha e molda o barro de nossa vida para que cumpramos seus propósitos. Ele deseja nos conceder uma nova vocação, um novo propósito como seus embaixadores, enviados para demonstrar seu amor e caráter ao mundo que observa.

5
Confiança
Ele sabe o que faz

ESCRITURAS →

"Feliz é quem confia no Senhor,
    cuja esperança é o Senhor.
É como árvore plantada junto ao rio,
    com raízes que se estendem até as correntes de água.
Não se incomoda com o calor,
    e suas folhas continuam verdes.
Não teme os longos meses de seca,
    e nunca deixa de produzir frutos" (Jeremias 17.7-8).

PRINCÍPIO DE LIDERANÇA → Apenas se aprender a confiar a carreira a Deus o líder conseguirá superar as tensões e pressões diárias da vida e gerar frutos ao Senhor.

> *Confiar é aceitar o que Deus coloca em sua vida,*
> *quer você entenda quer não.*
> Tim Keller

É presunçoso de minha parte desejar escolher meu caminho, pois não tenho como saber qual caminho é melhor para mim. Devo deixar que o Senhor, que me conhece, me guie pelo caminho que for melhor para mim, de forma que em tudo sua vontade seja feita.
Teresa de Ávila

Pela lógica, uma vez que você rendesse sua vida e trabalho por inteiro à vontade de Deus, você seria capaz de confiar nele para produzir resultados, certo? Ele sabe o que faz. No entanto, viver é difícil. Trabalhar é difícil. A política em escritórios pode ser horrível; nada é justo, funcionários são demitidos em massa, às vezes seu chefe é péssimo. E a insegurança e preocupação são as consequências naturais de tudo isso. Confiar em Deus por completo é um dos desafios mais árduos que já enfrentamos. Contudo, só confiando em Deus você conseguirá superar as tensões e pressões diárias da vida e do trabalho. E é quando você conseguir superar essas pressões que seus colegas enxergarão um tipo diferente de líder, que não se deixa abalar por fatores que abalariam todos os demais.

Talvez o melhor exemplo dessa atitude seja mesmo Jesus. Em meio à brutalidade do Império Romano, à rejeição dos líderes religiosos da época, à descrença de seus próprios discípulos e à ameaça real de violência física contra ele, Jesus se mantinha calmo e focado, confiando de forma absoluta em Deus, seu Pai. E as pessoas o seguiam. Ele transmitia um tipo de paz e confiança que era tão cativante quanto atípica. É desse modo que Deus quer que vivamos nosso relacionamento com ele — como filhos que confiam no Pai.

> Só confiando em Deus você conseguirá superar as tensões e pressões diárias da vida e do trabalho.

Aprendi algumas lições vitais sobre como confiar em Deus bem cedo em minha trajetória profissional. Em meu primeiro emprego, senti que minha carreira nascente não estava indo a lugar nenhum. Eu havia aceitado um emprego na Gilette assim que me formei na faculdade de administração. Era um cargo em administração de vendas que veio com a promessa de que eu poderia passar para o departamento de *marketing* (onde eu queria estar de fato) depois de um ano ou dois. Aquela se revelou uma promessa vazia, porém, e fui informado depois de meu primeiro ano que uma transferência não seria possível.

Lá estava eu, portanto, com apenas 25 anos de idade e a carreira de meus sonhos descarrilada. Lamentei-me por algumas semanas e, por fim, atualizei meu currículo. Lendo os classificados certo dia na revista *Advertising Age*, deparei com um pequeno anúncio da Parker Brothers Games oferecendo uma posição como assistente de *marketing*. Beleza, pensei. Eu poderia entrar na área de *marketing* e até ser pago para me divertir com jogos. Escrevi uma carta de apresentação e enviei meu primeiro currículo. Após uma série de entrevistas, ofereceram-me o emprego! No dia seguinte, entreguei meu aviso prévio de duas semanas na Gilette. O que eu não sabia era que, naquele exato momento, a Gilette estava planejando uma imensa reestruturação que envolvia demissões em massa. E apenas alguns dias depois que assinei meu aviso prévio, cheguei ao trabalho para encontrar pânico e horror pelos corredores. Duas divisões haviam sido integradas, e todos receberam a instrução para permanecerem às suas mesas e aguardar um telefonema. Um por um, os funcionários eram informados se haviam sido demitidos ou não. Aquele dia presenciou um massacre na Gilette, mas eu estava imune. Aquilo me lembrou da história da Páscoa no Êxodo, quando o "anjo da morte" passou por meu cubículo sem me tocar. Eu estava protegido porque já havia me demitido. Descobri mais tarde que teria sido despedido naquele dia. Eu era o funcionário com menos senioridade no departamento e aquele que teria de ser eliminado, mas, como eu havia aceitado o cargo na Parker Brothers, fui poupado.

Naquela noite, Renée e eu fomos a nosso grupo de estudos bíblicos para casais, e relatei os eventos dramáticos daquele dia. Compartilhei que Deus havia não apenas me protegido de perder o emprego, mas que havia me concedido um ainda melhor — o emprego de meus sonhos — na Parker Brothers. Em seguida, confidenciei ao grupo algo que se provou profético: "Aprendi algo importante com tudo isso. Eu não deveria me preocupar com minha carreira, pois conto com o apoio de Deus. Por isso, posso relaxar e confiar nele em relação a tudo isso". Então fiz uso de uma hipérbole como só alguém com 25 anos é capaz de fazer: "Se Deus quiser que eu algum dia me torne o presidente da Parker Brothers [uma noção ridícula na época], nada neste mundo poderá detê-lo. E se ele não quiser que eu me torne presidente da Parker Brothers, não há nada que eu possa fazer para chegar lá. Dessa forma, minha função é apenas comparecer todos os dias, dar o melhor de mim e confiar os resultados a Deus. Não preciso me preocupar com o resto".

E foi o que fiz, acreditando de verdade que poderia confiar em Deus para gerar resultados. Era uma sensação absolutamente libertadora à medida que me livrei das ansiedades inevitáveis do local de trabalho. É claro que, sendo humano, voltei a sentir certa ansiedade nos anos que se seguiram, quando a situação se complicou, mas aquela experiência inicial da proteção de Deus nunca me abandonou. Nos sete anos seguintes na Parker Brothers, fui promovido em média uma vez a cada nove meses até me tornar presidente. Foi quase como se Deus me dissesse: "Viu do que sou capaz, Rich, se confiar em mim?". E eu precisaria daquela garantia com o passar dos anos, com Deus me pedindo que confiasse nele repetidas vezes, mesmo quando confiar não era fácil.

Como já relatei, dois anos depois de me tornar presidente da Parker Brothers, fui despedido, encontrei um novo emprego e fui despedido de novo.

Confiar em Deus nos bons momentos era bem mais fácil do que confiar nele nos momentos difíceis. Contudo, também aprendi que Deus utilizava aqueles momentos difíceis para aprofundar a confiança e convicção que eu depositava nele apenas.

A força de um líder que confia

Algo que as pessoas notam no líder que confia em Deus é que ele é capaz de se manter calmo diante das adversidades, pois conta com uma perspectiva mais ampla das turbulências diárias do local de trabalho. Lembro-me de resmungar muitas vezes em minha carreira: "Isso também passará". Em meio a algumas perturbações agonizantes no trabalho, um de meus colegas e eu costumávamos trocar um olhar e comentar: "Em dez anos, quando nos lembrarmos disso, essa crise não terá mais importância". E dez anos mais tarde, ela não importava mesmo. Nossa fé pode e deve nos fornecer uma perspectiva saudável das crises inevitáveis do ambiente de trabalho.

Durante uma época bastante sombria na Lenox, quando uma de nossas divisões enfrentou uma batalha existencial que poderia muito bem ter resultado em seu fechamento, visitei aquele escritório para uma revisão financeira. Eu era o diretor de operações na época e detinha uma posição de autoridade. Recordo-me de entrar na sala de conferências, onde os líderes da divisão esperavam por mim, e de ver o olhar abatido em seu rosto. Eles vinham trabalhando em planos desesperados para reverter a situação da divisão e tinham plena consciência da possibilidade de todos perderem o emprego. A ansiedade deles era quase palpável. E naquele momento eu os enxerguei apenas como seres humanos, cheios de medo e apreensão. Comecei pedindo-lhes que relaxassem. Realizaríamos nossa revisão administrativa em alguns minutos, mas, primeiro, eu queria tão somente conversar com eles. Eu disse algo como: "Todos vocês são líderes incrivelmente inteligentes, talentosos e dedicados. Sei que deram o melhor de si a despeito de todas as adversidades. Não sei que decisão será tomada sobre se a divisão será fechada ou poupada neste momento, mas é importante colocar tudo isso em perspectiva. Este não é o fim do mundo. Pelo amor de Deus, estamos vendendo estatuetas de porcelana. Este é o momento de nos apegarmos a coisas que são muito mais importantes. Vocês têm famílias que os amam. São saudáveis. Possuem talentos que atrairão o interesse de qualquer empregador caso a situação não der certo aqui, e ninguém pode tomar nada disso de vocês. Enfrentaremos isso juntos. E quando se lembrarem disso tudo daqui a dez anos, verão essa situação como apenas outro contratempo no caminho. Agora, passemos ao plano administrativo e vejamos o que podemos fazer".

Tentei simplesmente oferecer algumas palavras encorajadoras. Não alterei a realidade, mas notei o alívio na linguagem corporal. Eu os havia ajudado a olhar para além do trauma daquele instante. Como um líder cristão, não compartilhei o evangelho com eles nem os chamei ao altar, mas os tratei como seres humanos preciosos a Deus e os ajudei a atravessar aquele momento complicado. Espero ter deixado o local de trabalho um pouco mais aprazível a Cristo como parte de minha "única função" de conhecer, amar e servir a Deus nesta vida.

Enraizado junto às correntes de água

Jeremias compara aquele que confia a vida ao Senhor a "uma árvore plantada junto ao rio, com raízes que se estendem até as correntes de água".

> Não se incomoda com o calor,
>   e suas folhas continuam verdes.
> Não teme os longos meses de seca,
>   e nunca deixa de produzir frutos.
>
> Jeremias 17.8

Note que a árvore não é poupada das devastações causadas pelo clima. O calor e a seca continuam presentes. A diferença é como a árvore, enraizada junto à água, está preparada para o calor e a seca. As folhas permanecem verdes, e ela continua a gerar frutos.

Entretanto, Jeremias também fala daqueles que deixam de confiar em Deus:

> Maldito é quem confia nas pessoas,
>   que se apoia na força humana
>   e afasta seu coração do SENHOR.
> É como arbusto solitário no deserto;
>   não tem esperança alguma.
> Habitará em lugares desolados e estéreis,
>   numa terra salgada, onde ninguém vive.
>
> Jeremias 17.5-6

Que pancada. Essa pessoa confia na própria força e nas próprias habilidades, o que afasta seu coração do Senhor. O resultado é comparado a um arbusto no deserto — ou, como ilustra Eugene Peterson em *A Mensagem*:

> Ele é como o arbusto do deserto
> longe do solo bom.
> Ele vive sem raiz e sem propósito
> numa terra em que nada cresce.

Quando os cristãos isolam a fé do trabalho, eles entram no local de trabalho não como uma árvore com raízes junto à água, mas como o arbusto seco rolando ao vento de cada crise, sem contato com o Deus vivificador e incapazes de se erguer acima da preocupação a fim de produzir frutos onde foram plantados.

Durante aquela crise fiscal na Lenox, lutei de maneira árdua com meus chefes para manter aberta aquela divisão em dificuldades, e encontramos um meio de superar a crise. A divisão sobreviveu e, depois de algum tempo, voltou a render lucros. Alguns anos mais tarde, quando troquei a Lenox pela Visão Mundial, o mesmo presidente daquela divisão que, naquele dia, parecia tomado pela palidez foi nomeado o novo diretor executivo da Lenox. Um dos vice-presidentes lá presentes foi promovido ao cargo de presidente da divisão. E eu testemunhei ainda outra demonstração da importância de confiar em Deus nos momentos difíceis.

6
Excelência
É como você participa do jogo

ESCRITURAS → "Em tudo que fizerem, trabalhem de bom ânimo, como se fosse para o Senhor, e não para os homens. Lembrem-se de que o Senhor lhes dará uma herança como recompensa e de que o Senhor a quem servem é Cristo" (Colossenses 3.23-24).

PRINCÍPIO DE LIDERANÇA → Excelência não se refere a vencer; refere-se a produzir o melhor resultado que somos capazes de alcançar.

> *Pois quando o Grande Marcador surge*
> *Para fazer a marcação junto ao seu nome,*
> *Ele escreve — não se você venceu ou perdeu —*
> *Mas como participou do Jogo.*
> GRANTLAND RICE

A premissa deste livro é que os valores que os líderes adotam são mais importantes do que o sucesso que alcançam. E, é claro, entendo que essa declaração vai contra praticamente toda a sabedoria convencional que permeia nossa cultura orientada pelo sucesso. Tenho certeza de que, para muitos de meus leitores, esse ponto de vista talvez soe tanto ingênuo como alienado, pois sua experiência no mundo real é de que os resultados de sucesso são de enorme importância. Por isso, quero ser explícito ao afirmar que *os resultados são relevantes*. Entretanto, é a maneira de alcançar esses resultados que é mais relevante no fim das contas. Permita-me explicar.

Quando o único foco de uma organização recai sobre a produção de resultados, isso cria uma cultura insalubre na qual os fins muitas vezes justificam os meios. A rentabilidade começa a importar mais do que as pessoas ou o processo de trabalho para produzi-la. O mau comportamento talvez seja recompensado se os resultados desse comportamento forem positivos. E isso cria toda uma série de problemas.

Um exemplo extremo disso foi o escândalo das contas falsas na companhia de serviços financeiros Wells Fargo. A partir de 2011, a diretoria da Wells Fargo estabeleceu metas agressivas para que os agentes de venda aumentassem o número de inscrições de clientes a produtos e contas bancárias. Esses agentes sofreram uma forte pressão para que gerassem resultados, e ações punitivas eram tomadas se fracassassem. Como efeito dessa pressão, os agentes começaram a criar contas falsas para os clientes a fim de atingir as cotas exigentes. Cerca de dois milhões dessas contas foram criadas, e muitos dos clientes involuntários receberam cobranças de milhões de dólares em taxas e sofreram golpes devastadores às suas avaliações de crédito por contas que eles nem sabiam que possuíam. Quando o embuste foi exposto, a Wells Fargo foi considerada culpada de fraude pelas entidades reguladoras e sentenciada a pagar milhões de dólares em multas. No final, o diretor executivo da empresa foi forçado a se demitir.[1] Esse é um exemplo extremo do que pode acontecer quando líderes partem para uma abordagem de "desempenho ou desaparecimento" no intuito de gerar rentabilidade, concentrando-se estritamente nos fins e dando pouca atenção aos meios.

Contudo, há outros problemas em relação ao foco insalubre nos resultados. Às vezes, essa abordagem recompensa a mediocridade e pune a excelência. Por exemplo, imagine duas equipes diferentes numa organização. Uma das equipes (com alguma sorte e em circunstâncias favoráveis) consegue produzir resultados positivos apesar de ter realizado esforços apenas medíocres, enquanto a outra equipe (por causa de circunstâncias além de seu controle) despende um esforço notável que acaba não se convertendo nos resultados desejados. Numa cultura focada nos resultados, recompensamos a equipe que despendeu esforços medíocres e punimos a equipe que trabalhou com excelência. Aqui está o elemento que desconsideramos: *bons resultados não levam à excelência; a excelência leva a bons resultados*. Precisamos recompensar a excelência. Nem sempre somos capazes de controlar os resultados de nosso trabalho, mas

> Excelência não se refere a vencer; refere-se a produzir o melhor resultado que somos capazes de alcançar.

podemos controlar o esforço que despendemos e celebrar aqueles que trabalham com empenho.

Excelência não se refere a vencer; refere-se a produzir o melhor resultado que somos capazes de alcançar. Assumir um compromisso com a excelência significa simplesmente que nos esforçaremos ao máximo e que esperaremos o mesmo dos outros. Em termos cristãos, excelência significa que sempre buscaremos fazer uso das dádivas e habilidades que Deus nos concedeu com a maior amplitude possível.

Uma parábola sobre esforço

Em Mateus 25, lemos a parábola dos talentos, em que um homem, antes de partir em viagem, oferece uma quantia diferente a cada um de seus três servos para que administrem. O primeiro servo recebe cinco talentos; o segundo, dois talentos; e o terceiro, um talento — "de forma proporcional à capacidade deles". Quando o homem retorna, ele pergunta a cada servo o que fez com o dinheiro que lhe foi confiado. Aquele com cinco talentos obteve mais cinco, e aquele com dois obteve mais dois, mas o servo com um talento apenas escondeu o dinheiro e não fez nada para multiplicá-lo. O homem recompensou os dois primeiros com as palavras: "Muito bem, meu servo bom e fiel! Você foi fiel na administração dessa quantia pequena, e agora lhe darei muitas outras responsabilidades. Venha celebrar comigo" (Mateus 25.21-23). No entanto, ele se zanga com o terceiro servo, que não produziu nada: "Servo mau e preguiçoso! Se você sabia que eu colho onde não plantei e ajunto onde não semeei, por que não depositou meu dinheiro? Pelo menos eu teria recebido os juros. Tirem o dinheiro deste servo e deem ao que tem os dez talentos" (Mateus 25.26-28).

É comum que esta seja interpretada como uma parábola sobre "desempenho", em que o que importa mais são os resultados. Na realidade, porém, trata-se de uma parábola sobre o esforço. O homem percebeu que os servos não dispunham de habilidades iguais, e lhes confiou quantias diferentes com base em suas capacidades relativas. O que o agradou sobre os dois primeiros servos foi o esforço e empenho que demonstraram. Ambos deram o melhor de si, e ambos receberam a mesma recompensa, a despeito de um deles possuir mais habilidades e ter obtido uma soma maior. O terceiro servo foi repreendido porque não despendeu esforço nenhum. Nem mesmo fez o esforço mínimo de depositar o dinheiro no banco para que rendesse juros. O homem não estava recompensando os resultados, mas o empenho e o esforço dos dois primeiros servos. É claro que o tema dessa parábola não é o dinheiro — é a expectativa de Deus de que façamos o melhor para utilizarmos com fidelidade em nome de nosso Mestre as dádivas que nos foram confiadas.

Na época em que meus filhos estavam no ensino médio, tínhamos discussões previsíveis quanto aos hábitos de estudo e notas deles. Quando havia uma prova de química pela amanhã, Renée e eu julgávamos que jogar *videogames* ou ver televisão na noite anterior não era a decisão mais sábia — mesmo que química fosse uma "bobagem", como pensava a maioria de meus filhos. Sempre insisti que eu não me importava com as notas que tirassem nas provas, desde que dessem o melhor de si. Meu lema era: "Você só pode fazer o melhor que é capaz de fazer". Se você se esforçou ao máximo, não tenho como lhe pedir mais do que isso. No entanto, ficar vendo televisão na noite anterior à prova não nos soava como dar o melhor de si.

Se pensar bem nisso por um instante, perceberá que o entendimento de que "você só pode fazer o melhor que é capaz de fazer" concede uma liberdade incrível. Se nossos melhores esforços fracassam, é isso aí — não há do que se arrepender. Uma vez que tenhamos dado o máximo de nós, uma vez que tenhamos "nos entregado por inteiro no campo de jogo", podemos ficar com a consciência limpa e aceitar o resultado.

Uma cultura de celebração

Existe uma psicologia interessante aqui. Quando o foco de um líder recai apenas sobre os resultados, não conseguir atingir o resultado se torna uma acusação contra a equipe ou o indivíduo. Isso leva a vergonha e desmotivação. Quando a ênfase é colocada em nossos melhores esforços, porém, podemos ainda celebrar os esforços do indivíduo ou da equipe mesmo em meio a um fracasso. Se fiz o melhor possível e sou punido por não ter obtido o resultado desejado, estou sendo, na prática, punido por dar o melhor de mim. O efeito é desmotivação e vergonha, e é provável que isso prejudique meu desempenho futuro. Por outro lado, se meus melhores esforços forem elogiados, mesmo que eu não tenha sido bem-sucedido, sinto-me motivado a continuar a oferecer meus melhores esforços no futuro.

Focar-se apenas nos resultados leva a uma cultura de vergonha, enquanto focar-se nos melhores esforços cria uma cultura de celebração. Numa cultura de vergonha, as pessoas são condenadas pelos resultados ruins após terem trabalhado de maneira incansável e dado o melhor de si. Quando os líderes criam uma cultura de celebração, utilizam a motivação positiva ao recompensar os comportamentos corretos. Brené Brown, em seu sucesso de vendas *A coragem de ser imperfeito*, fala sobre as formas como a vergonha sufoca um local de trabalho: "Se quisermos reavivar a inovação e a paixão, temos de restaurar a humanização do trabalho. Quando a vergonha se torna um estilo de administração, o engajamento morre. Quando o fracasso não é uma opção, acabamos esquecendo o aprendizado, a criatividade e a inovação".[2]

Pete Carroll, o treinador vitorioso do time de futebol americano Seattle Seahawks, tornou-se conhecido por sua filosofia de treinamento. Ao contrário de muitos dos treinadores rígidos e autoritários que encontramos marchando junto à linha lateral todos os domingos, Carroll age como um exuberante líder de torcida para o time. Quando lhe perguntam sobre a importância da vitória, Carroll afirmou: "É claro que queremos vencer todos os jogos, mas *vencer sempre* é algo que tem mais a ver com concretizar o seu potencial e *tornar-se tão bom quanto for capaz*. Perceber isso é uma tremenda conquista, seja no futebol americano seja na vida".[3] Carroll explica que o que importa é que cada um de seus jogadores dê o melhor de si — tornando-se tão bons quanto conseguirem. Sim, o resultado é importante, mas o resultado começa com a excelência — "tornar-se tão bom quanto for capaz". Pete Carroll criou uma cultura de celebração dentro do time em vez de uma cultura de vergonha, e isso os ajudou a acumular um recorde de dez anos com cem vitórias contra 57 derrotas e duas participações no Super Bowl, vencendo uma delas.[4]

Contraste essa cultura positiva com o escândalo de fraude envolvendo o time de beisebol Houston Astron, em que treinadores e jogadores conspiraram para "espionar" de forma ilegal, utilizando câmeras de vídeo, os sinais de arremesso feitos pelo apanhador adversário, de forma que os batedores do Astron soubessem que tipo de arremesso viria a seguir. Essa vantagem desleal os ajudou a vencer a World Series em 2017. Quando a cultura sugere que vencer é tudo, ela motiva alguns comportamentos bastante destrutivos.

A famosa citação do autor esportivo Grantland Rice captura a essência desse princípio: "A questão não é se você venceu ou perdeu, mas como participou do jogo". Se jogamos com dedicação, lealdade, paixão e compromisso, isso é, no fim das contas, o que importa mais do que a vitória. E, no longo prazo, os times que jogam dessa forma todos os dias são os que vencem mais jogos de maneira consistente. Os melhores líderes criam uma cultura de excelência e estabelecem um alto padrão de conquistas com base não exclusiva nos resultados, mas em honestidade, compromisso e esforço.

Quarenta mil vencedores

Mais de quarenta mil pessoas correm na Maratona de Chicago todos os anos, mas apenas um homem e uma mulher são declarados vencedores. Isso significa que existem mais de quarenta mil perdedores? A resposta seria afirmativa se vencer fosse o único objetivo. Na realidade, bem poucos participantes esperam de fato vencer a maratona, mas cada um está tentando marcar seu recorde pessoal. O que vale é o esforço que despendem. Para alguns, dar o melhor de si significa apenas concluir a prova. Outros se emocionam se conseguem completar o percurso em cinco ou seis horas, mesmo que o vencedor tenha terminado em pouco mais de duas.

Embora eu nunca tenha corrido a Maratona de Chicago, meu filho Andy participou três vezes, e meu filho Pete correu uma vez em apoio à Equipe Visão Mundial, o ministério de corrida da organização. Num desses anos, Renée e eu fomos torcer por eles e assistir a milhares de corredores exaustos cruzarem com alegria a linha de chegada. E o que presenciamos foram celebrações. Milhares de pessoas, cada uma com sua história única, celebravam sua conquista pessoal. Haviam corrido com perseverança e de todo o coração. Haviam se esforçado ao máximo e se mostravam eufóricos. Se vencer fosse o único resultado aceitável, mais de quarenta mil pessoas teriam voltado para casa derrotados e tomados pelo desânimo. Em vez disso, foram para casa como vencedores, pois haviam corrido com empenho e dado o melhor de si. Excelência não se refere a vencer; refere-se a produzir o melhor resultado que somos capazes de alcançar.

Bom o bastante não é bom o bastante

Quando abandonei o mundo corporativo para me juntar à Visão Mundial, passei de uma organização secular que visava o lucro para um ministério cristão sem fins lucrativos. As culturas eram completamente diferentes. Em meus empregos corporativos, os resultados eram tudo que importava. Eram culturas típicas de "desempenho ou desaparecimento", em que reinava o lucro ou o valor do acionista. Todos tinham indicadores de desempenho e metas a bater, e o bônus de todos se baseava em cumprir esses resultados. O fracasso gerava consequências, desde a perda de remuneração até a demissão. Às vezes, era brutal.

Na Visão Mundial, porém, encontrei uma ética diferente. Lá, a cultura girava em torno da adoção da causa inspiradora de ajudar os pobres e das abordagens singulares da Visão Mundial para concretizar essa ideia. Os relacionamentos eram importantes nessa cultura, e as pessoas se orgulhavam muito de se identificar com a missão, visão e valores da organização. No entanto, nessa organização cristã sem fins lucrativos, descobri que o dinheiro, ou o faturamento, era visto mais como um meio para um fim em vez de um fim em si. Essa diferença sutil levava a menos atenção a algumas das metas financeiras da organização.

Embora a Visão Mundial nos Estados Unidos estivesse certa em não colocar a ênfase total nos resultados financeiros, ela também não havia depositado ênfase forte o bastante na responsabilidade e excelência na arrecadação de fundos. Não havia metas claras, indicadores de desempenho ou parâmetros estabelecidos que fossem visíveis para toda a organização. Batizei essa cultura de "Somos boas pessoas realizando boas obras e isso é bom o bastante". Não me interprete mal. A Visão Mundial fazia um trabalho fantástico ao redor do mundo e ajudava milhões de pessoas. Contudo, eu sentia que eles não haviam criado uma cultura de excelência em relação à arrecadação de fundos e às metas financeiras.

Para os leitores que estejam trabalhando no ministério cristão, isso talvez soe familiar. Às vezes, buscar excelência é visto como uma aspiração "mundana" que seria inconsistente com valores cristãos como a bondade, o perdão e a união. Quando você ora com alguém pela manhã, é difícil passar uma revisão crítica de desempenho à tarde, mesmo que essa pessoa não esteja realizando um bom trabalho. No entanto, não tratar das questões reais de desempenho pode resultar em uma disfunção dentro da organização. Uma cultura de excelência não é contrária aos valores cristãos; na realidade, é central a eles. Quando operamos como embaixadores de Cristo em nossas comunidades e locais de trabalho, há muito em jogo. Somos chamados a nos esforçar ao máximo, pois levamos conosco a reputação de Cristo: "Em tudo que fizerem, trabalhem de bom ânimo, como se fosse para o Senhor, e não para os homens. Lembrem-se de que o Senhor lhes dará uma herança como recompensa e de que o Senhor a quem servem é Cristo" (Colossenses 3.23-24).

Em minhas primeiras semanas na Visão Mundial, comecei a lidar com as questões de responsabilidade e excelência. Mergulhamos fundo no esclarecimento da missão, da visão e dos valores de nossa organização de arrecadação de fundos. Em seguida, estabelecemos objetivos e parâmetros financeiros expressos em indicadores de desempenho tanto individuais como para a organização como um todo. É compreensível que todas essas novas iniciativas causassem algumas ondas de choque na cultura da organização, e comecei a ouvir alguns resmungos. Meu vice-presidente de recursos humanos confidenciou-me que as pessoas andavam comentando: "Estamos agora sendo dirigidos como uma corporação da Fortune 500. E eu que pensei que éramos um ministério cristão". Senti que precisava abordar essas questões numa reunião com toda a equipe. Eu lhes declarei que, sim, se excelência e responsabilidade eram marcas de uma corporação da Fortune 500, eu era mesmo culpado da acusação. Se havia uma expectativa de excelência ao trabalharmos em empresas que visam o lucro, como a Microsoft ou a Procter & Gamble, quanto mais deveríamos lutar pela excelência ao servirmos a Deus? Afirmei que eu queria que a Visão Mundial fosse um modelo de excelência capaz até de conquistar a admiração da Fortune 500. A maioria das pessoas aceitou com entusiasmo a nova mentalidade, pois queriam fazer mais e melhor pelas pessoas que servíamos. Alguns poucos, porém, preferiram partir a se adaptar.

> Bons resultados não levam à excelência; a excelência leva aos bons resultados.

Nos dez anos que se seguiram, o faturamento da Visão Mundial triplicou, e a eficiência aumentou à medida que as despesas gerais foram reduzidas a um terço. Isso não foi decorrência de nenhum ato brilhante de minha parte. Aconteceu porque despertamos o potencial reprimido de nosso pessoal ao criar uma cultura que celebrava a excelência e aceitava a responsabilidade para que nos tornássemos o melhor que poderíamos ser. Desse modo, uma quantia gigantesca foi direcionada a nosso ministério para os pobres. Milhões mais de pessoas receberam melhor nutrição, tratamento médico aprimorado, água limpa, educação e microempréstimos para que iniciassem seus próprios negócios. Não conseguimos isso por meio de um foco a *laser* em resultados, mas por meio do foco na excelência, nos melhores resultados que nosso pessoal era capaz de produzir. Bons resultados não levam à excelência; a excelência leva aos bons resultados.

7
Amor

O que amor tem a ver com isso?

ESCRITURAS → "O amor é paciente e bondoso. O amor não é ciumento, nem presunçoso. Não é orgulhoso, nem grosseiro. Não exige que as coisas sejam à sua maneira. Não é irritável, nem rancoroso. Não se alegra com a injustiça, mas sim com a verdade. O amor nunca desiste, nunca perde a fé, sempre tem esperança e sempre se mantém firme" (1Coríntios 13.4-7).

PRINCÍPIO DE LIDERANÇA → Jesus nos convoca a amar o próximo como a nós mesmos, e isso inclui nossos colegas de trabalho. Quando as pessoas notam que o líder se importa de verdade com elas, isso cria um relacionamento de confiança, produz uma cultura positiva e amplifica o testemunho desse líder para Cristo.

Ninguém se importa com o quanto você sabe até
que saiba o quanto você se importa.
TEDDY ROOSEVELT

Suponho que para muitos de vocês que estão lendo este capítulo agora, *amor* não seja a qualidade de liderança que primeiro lhe vem à mente ao considerar os atributos de um grande líder. Coragem, sim; excelência, sim; visão, sim; integridade, sim; perseverança, sim — mas amor? É sério? No escritório? O que o amor tem a ver com isso? Tudo.

O que quero que você aprenda com este capítulo é que, a fim de ser um embaixador de Cristo eficiente no local de trabalho, você precisa enxergar as pessoas com quem trabalha a partir da perspectiva de Deus — como pessoas que ele ama e por quem Jesus deu a vida. Além disso, quando essas pessoas olharem para você, precisam enxergar alguém que se importa de verdade com elas. Por quê? Porque não há nenhum testemunho mais poderoso da verdade do evangelho do que o amor de Cristo reluzindo por meio de nós. Como embaixadores de Cristo, somos chamados a incorporar os valores e o caráter daquele que nos convocou. Devemos ser a demonstração tangível do amor, caráter e verdade de Cristo ao vivermos nossa fé em público diante de todos.

A Bíblia inteira é, em sua essência, uma história de amor. É a história de um Deus amoroso que buscou nos conquistar de forma tão apaixonada que se mostrou disposto até mesmo a enviar seu Filho para morrer por nós para que assim pudéssemos, enfim, nos reconciliar com nosso Pai no céu. Talvez a declaração mais simples e mais ousada quanto à centralidade do amor de nossa fé cristã apareça em Mateus 22.35-40, quando um especialista na lei judaica faz a Jesus uma pergunta incisiva e esclarecedora: "Mestre, qual é o mandamento mais importante da lei de Moisés?". Jesus responde:

> "Ame o Senhor, seu Deus, de todo o seu coração, de toda a sua alma e de toda a sua mente". Este é o primeiro e o maior mandamento. O segundo é igualmente importante: "Ame o seu próximo como a si mesmo". Toda a lei e todas as exigências dos profetas se baseiam nesses dois mandamentos.

Trata-se de uma declaração de tirar o fôlego. Em um mundo em que a clareza da missão é encarada como sendo crucial para cada organização, Jesus a explicita aqui. Na prática, ele afirma que, se você tomar as leis do Antigo Testamento como um todo, se resumir a esperança de Deus para a raça humana e destilá-la até sua essência, o produto final é este: *ame a Deus e ame os outros — sempre*. Se você precisar de clareza sobre o cerne de sua fé cristã e sobre os requisitos de ser um seguidor de Jesus, essa é a resposta, e você não necessitará de um diploma em teologia. Um cristão é chamado a amar Deus e a amar os outros sempre. É assim que o amor tem a ver com tudo.

E você percebeu a frase que conecta esses dois mandamentos: "o segundo é *igualmente* importante"? Em outras palavras, amar o próximo como a nós mesmos equivale a — o mesmo que, um corolário para, inseparável de — amar a Deus de todo coração, alma e mente. Esse mandamento, amar o próximo como a nós mesmos, conhecido como o Grande Mandamento, prevê que os seguidores de Jesus demonstrarão de verdade o amor infinito de Deus pelas pessoas de formas tangíveis, não apenas por meio de palavras e platitudes. Faremos do amor parte de nosso "sistema operacional", tanto na vida como em nosso papel de liderança.

Em seu papel de líder cristão, você deve manter seus colegas entre os principais destinatários de seu amor ao próximo. Embora amar os colegas nem sempre seja fácil de fazer, é bem fácil de entender. Quando você ama alguém como a si mesmo, você cuida dessa pessoa, trata-a com carinho, quer o melhor para ela e se dispõe até a colocar os interesses dela acima dos seus. É uma questão de mostrar às pessoas que você as valoriza e respeita, que lhes aprecia a vida e a carreira. Paulo descreve esse tipo de amor em 1Coríntios 13.4-7:

> O amor é paciente e bondoso. O amor não é ciumento, nem presunçoso. Não é orgulhoso, nem grosseiro. Não exige que as coisas sejam à sua maneira. Não é irritável, nem rancoroso. Não se alegra com a injustiça, mas sim com a verdade. O amor nunca desiste, nunca perde a fé, sempre tem esperança e sempre se mantém firme.

Apesar de essa ser uma passagem lida com frequência em casamentos, é também uma descrição surpreendente de como o amor deveria se parecer em um líder. Permita-me tomar um pouco de liberdade aqui, substituindo a palavra *amor* por "eu" para transformar isso num código de conduta para os líderes. Isso não altera o significado; apenas o torna mais pessoal: "Como líder, eu sou paciente e bondoso. Não sou ciumento, nem presunçoso. Não sou orgulhoso, nem grosseiro. Não exijo que as coisas sejam à minha maneira. Não sou irritável, nem rancoroso. Não me alegro com a injustiça, mas sim com a verdade. Eu nunca desisto, nunca perco a fé, sempre tenho esperança e sempre me mantenho firme".

> Em seu papel de líder cristão, você deve manter seus colegas entre os principais destinatários de seu amor ao próximo.

Não soa bem como um mantra de liderança? Se você citasse essas palavras diante do espelho todas as manhãs antes do trabalho, isso talvez gerasse um impacto positivo em cada uma de suas interações pelo resto do dia. Se você já serviu sob um líder que age dessa forma, mesmo que só um pouquinho, você é alguém de sorte.

Mostre-lhes que você se importa

Amar os colegas como a nós mesmos precisa começar com uma mudança de paradigma em nossa perspectiva em relação a eles. Depois de cerca de dez anos ajudando as pessoas mais pobres do mundo como líder da Visão

Mundial, fui "atingido por um raio" de sabedoria espiritual a respeito de como Deus queria que eu encarasse os pobres. Por anos, supus que Deus queria que eu ajudasse os pobres porque *ele* os amava tanto. Por isso, ajudar os pobres era meu dever como cristão. No entanto, era o oposto. Deus queria que eu primeiro *amasse* os pobres como ele amava, pois sabia que, se eu os amasse, faria tudo a meu alcance para ajudá-los. O amor precisava vir primeiro. É por isso que todos nos entusiasmamos mais ao ver nosso próprio filho ser bem-sucedido na escola ou nos esportes do que qualquer outra criança. Começamos com o fundamento de que amamos nossos filhos. Uma vez que amemos alguém, daí flui todo o resto.

A maioria dos líderes fala pelo menos da boca para fora sobre querer ajudar os colegas a desenvolver habilidades, aprimorar capacidades e conquistar maior sucesso. Mas e se você como líder os amasse primeiro e os visse como pessoas criadas à imagem de Deus, como Cristo lhe pediu que fizesse? Desse modo, você defenderia os interesses deles com muito mais sinceridade e entusiasmo. As pessoas com quem você trabalha não são seus filhos, mas são filhos de Deus e, portanto, dignas de seu amor.

> Ao demonstrar às pessoas ao redor que você se importa com elas, você passa a merecer o direito de liderá-las.

A declaração de Teddy Roosevelt, "Ninguém se importa com o quanto você sabe até que saiba o quanto você se importa", é bem correta. Repito com frequência que nenhum líder consegue exigir respeito porque o respeito de verdade precisa ser merecido. É possível exigir obediência, mas não respeito. Ao demonstrar às pessoas ao redor que você se importa com elas, você passa a merecer o direito de liderá-las. As pessoas passam a respeitá-lo e a confiar em você ao perceberem que você se importa com elas e com suas ideias, opiniões e aspirações, e também com a vida delas fora do local de trabalho. Quando você se importar de verdade com as pessoas à sua volta e demonstrar isso de formas tangíveis, você se surpreenderá com a disposição com que elas responderão à sua liderança.

E quanto àqueles que é impossível amar?

O que fazer, porém, com aquela pessoa horrível no trabalho que é especialmente hedionda e impossível de amar — talvez até mesmo um pouco execrável? Quem sabe seja alguém que causou mal a você ou a outros — uma pessoa desordeira e egoísta, que só pensa em si mesma. Essa talvez seja a antítese do tipo de amor sobre o qual acabamos de ler em 1Coríntios. Não seria um pouco demais acreditar (a) que você conseguiria de fato amar alguém assim, e (b) que isso faria alguma diferença? Bem, Jesus nos pediu que amássemos nossos inimigos: "Vocês ouviram o que foi dito: 'Ame o seu próximo' e odeie o seu inimigo. Eu, porém, lhes digo: amem os seus inimigos e orem por quem os persegue" (Mateus 5.43-44).

Tenho para contar uma história cujo contexto se encontra bem distante do local de trabalho ou mesmo de meu país. No entanto, ela ilustra o poder desencadeado quando amamos o que é impossível amar e perdoamos o que é impossível perdoar. A história se passa no Líbano em meio à crise dos refugiados sírios que levou centenas de milhares de sírios desesperados a cruzar a fronteira libanesa em busca de asilo. Para compreender o que aconteceu lá, é preciso primeiro entender o contexto.

Em 1976, durante a guerra civil libanesa, o exército sírio invadiu o Líbano e ocupou o país de modo intermitente por trinta anos. Eles exerceram controle militar total sobre o povo libanês. Assassinaram seu primeiro-ministro. Estupraram suas mulheres e saquearam suas casas. Imagine viver por trinta anos sob o jugo desse regime brutal. O povo libanês odiava os opressores sírios. E a Síria não se retirou do Líbano até 2005.

Então, apenas seis anos mais tarde, a guerra civil síria eclodiu com violência. Agora, centenas de milhares de sírios, a maioria muçulmanos, fugiram em direção à fronteira libanesa buscando refúgio da violência e perseguição no próprio país, implorando em desespero que o povo libanês os ajudasse. A situação havia se invertido. Era hora da revanche. "Amar nossos inimigos? Acho que não." Não é assim que teríamos nos sentido na mesma situação?

Em cada uma de minhas viagens ao Líbano, encontrei-me com alguns pastores da igreja libanesa, pois queria entender se e como aquelas igrejas estavam respondendo ao influxo de refugiados sírios. Um deles explicou a situação desta maneira: "A Síria é nossa inimiga. Meu pai morreu na guerra, nossa casa foi atingida por bombas. Muitas mulheres foram estupradas. *Esses são nossos inimigos, não apenas pessoas de quem não gostamos*".

Coloque-se na posição dele. Não só aquelas eram as mesmas pessoas que o perseguiram por trinta anos, mas eram também muçulmanos, nem mesmo compartilhavam de sua fé. Pergunto a você, portanto: nessas mesmas circunstâncias, o que você pensa que sua igreja teria feito?

O que muitas das igrejas libanesas fizeram foi, ao mesmo tempo, estarrecedor e inesperado. Elas acolheram os antigos adversários. Veja o que um desses pastores me disse: "Quando nossa igreja começou a ajudar os refugiados, até mesmo os sírios se surpreenderam. As pessoas perguntavam: 'Por que vocês os estão ajudando?'. Nossa resposta era: Nós os ajudamos por causa do amor de Cristo que carregamos em nosso coração. Garantimos aos refugiados que não nos importamos com o que aconteceu no passado. 'Nós nos importamos com o seu bem-estar e os de seus filhos.' São seres humanos como nós. *Devemos envolvê-los com o amor de Cristo*. Não dá para culpar as pessoas por fugir de bombardeios ou desejar uma vida melhor. Se você estender a mão aos refugiados, você os transformará em bons cidadãos. *O amor nunca falha. Quando você ama com sinceridade, um inimigo se transformará em amigo*".

Alguns dias mais tarde, compareci ao serviço dominical em uma dessas extraordinárias igrejas. Testemunhei com lágrimas nos olhos quando centenas de refugiados muçulmanos foram entrando na igreja — homens, mulheres, crianças, jovens e velhos —, respondendo ao amor que lhes havia sido demonstrado, ávidos para sentir o amor de Deus e para saber mais sobre um Salvador que os amava a ponto de morrer por eles. O amor que sentiram era mais poderoso por ser gratuito e incondicional.

Aquele colega desagradável no cubículo ao lado talvez não mereça ser amado. Talvez tenha dito algumas coisas terríveis a você e sobre você. É improvável, porém, que o comportamento dele se equipare ao nível dos opressores sírios. Em vez de retribuir insulto com insulto e ofensa com ofensa, tente interagir com ele de uma maneira positiva e carinhosa — a mesma maneira como você trataria alguém que lhe seja gentil e encorajador. Ele perceberá isso e, em alguns casos, até começará a mudar de comportamento em relação a você.

> Mas a vocês que me ouvem, eu digo: amem os seus inimigos, façam o bem a quem os odeia, abençoem quem os amaldiçoa, orem por quem os maltrata. [...] Façam aos outros o que vocês desejam que eles lhes façam. Se vocês amam apenas aqueles que os amam, que mérito têm? Até os pecadores amam quem os ama. E, se fazem o bem apenas aos que fazem o bem a vocês, que mérito têm? Até os pecadores agem desse modo.
>
> Lucas 6.27-28,31-33

O que o amor faria?

Compreendo que todo esse papo sobre amor possa parecer bem abstrato. Como funcionaria na prática onde você trabalha? Aqui vão algumas dicas sobre como pôr o abstrato em prática.

Na minha opinião, tudo começa quando você aceita a proposição de que Deus deseja de fato que você demonstre seu amor àqueles com quem interage todos os dias. E ajuda se você passar a orar frequentemente por eles durante seu momento de oração. Tente abordar as pessoas no trabalho com um espírito amoroso. Quando olhar para alguém, você demonstra uma atitude de "copo meio vazio" ou "copo meio cheio"? Tende a perceber primeiro as imperfeições e deficiências de alguém, ou seus melhores atributos? Se conseguir criar a prática de enxergar o melhor nas pessoas em vez das deficiências, elas se sentirão mais valorizadas e respeitadas. Todos temos defeitos, mas ninguém quer ser definido por eles. Se você sempre vê uma pessoa como sendo defeituosa, ela começará a se ver como defeituosa, uma perspectiva que pode acabar se concretizando. Entretanto, se você elogia uma pessoa por suas melhores qualidades, ela pode se aprimorar de forma a atingir essas expectativas mais elevadas.

> Se você elogia uma pessoa por suas melhores qualidades, ela pode se aprimorar de forma a atingir essas expectativas mais elevadas.

Não aplique rótulos de valor às pessoas. Era útil para mim sempre tentar ver as pessoas sem seu título ou posição. O zelador era tão digno de consideração e respeito quanto o diretor executivo. E o diretor executivo era somente outro ser humano que precisava do amor de Deus como qualquer outra pessoa. Títulos e posições não deveriam determinar como você trata as pessoas no local de trabalho — ou em qualquer outro lugar. Uma atitude de superioridade em relação aos outros destruirá seu testemunho por Cristo no trabalho.

Talvez o mais espantoso na interação de Jesus com as pessoas fosse a forma como ele tratava aqueles nos degraus mais baixos da escada social: os pobres, os doentes, as prostitutas, os leprosos, os coletores de impostos, as mulheres, as crianças. Ele lhes oferecia amor e aceitação em vez de desdém e rejeição. Na realidade, ele enfrentou problemas com a elite judaica por ser tão bondoso com os desprivilegiados. No local de trabalho, faça questão de demonstrar que você valoriza aqueles que talvez se sintam desvalorizados.

Conheça as pessoas. O quanto você sabe de verdade sobre os membros de sua equipe? Sabe o nome de seus filhos? Sabe o que se passa na vida deles fora do trabalho, quais são seus interesses? Será que cuidam dos pais idosos ou estão criando um filho com deficiências? A vida das pessoas não é unidimensional. Elas são muito mais do que apenas uma caixa num gráfico organizacional. Quando você, como líder, realizar o esforço de conhecer as pessoas à sua volta num nível mais profundo, elas se sentirão valorizadas e estimadas, e você ganhará uma nova apreciação por suas dádivas e habilidades únicas.

> Faça questão de demonstrar que você valoriza aqueles que talvez se sintam desvalorizados.

Por fim, uma das responsabilidades fundamentais de um líder é ajudar aqueles sob sua tutela a compreender o potencial que lhes foi concedido por Deus. Faça questão de entender as esperanças e aspirações de cada um, e aja de forma a ajudá-los a concretizá-las. Os melhores líderes ajudam as pessoas a alcançar o que é importante por meio de treinamento, encorajamento e direcionamento prático. Sinto enorme satisfação ao saber que mais de uma dezena das pessoas que trabalharam para mim na Visão Mundial se tornaram, tempos depois, diretores executivos de outros ministérios e organizações, e que muitos outros assumiram responsabilidades maiores dentro da Visão Mundial. Retornando à metáfora do regente da orquestra: trabalhe para extrair a música das pessoas sob sua batuta.

O mandamento de Jesus para amar o próximo como a nós mesmos é uma das coisas mais difíceis de obedecer de modo consistente — em especial onde trabalhamos. Todos os locais em que trabalhei eram estressantes. O trabalho exigia que as pessoas atuassem sob pressão, atingissem metas tangíveis, lidassem com a fricção constante das interações humanas diárias, e fizessem tudo isso em um ambiente infestado pela politicagem. Com muita frequência, a frase "Lá fora é uma selva" é uma descrição bastante apropriada. Apesar disso, Jesus ordena que amemos nossos colegas — algo que não é fácil de fazer de maneira consistente.

Talvez esta consideração final o ajude. Anos atrás, muitos jovens usavam pulseiras com a sigla OQJF ("O que Jesus faria?"). Elas serviam como um lembrete para que fossem mais como Jesus, ao se fazerem aquela pergunta simples diante de todas as situações. No entanto, tentar estabelecer o padrão de fazer o que o próprio Deus faria gerava uma expectativa elevada demais. Em 1João 4.8, encontramos a definição mais curta de Deus que há na Bíblia: "Deus é amor". Se isso for verdade, podemos nos fazer uma pergunta mais tangível: "O que o *amor* faria?". Quando estiver prestes a passar a alguém uma revisão crítica de desempenho, indague-se o que o *amor* diria. Quando alguém cometer um erro no trabalho, como o *amor* reagiria? Quando o faturamento cair, o lucro estiver em baixa e a equipe se sentir ansiosa, como o *amor* se comportaria? Se um de seus funcionários descobrir que está com câncer, o que o *amor* exigiria? Tente manter a pergunta nos lábios em cada encontro.

E antes de sair para trabalhar amanhã, tente recitar estas palavras: "Como líder, eu sou paciente e bondoso. Não sou ciumento, nem presunçoso. Não sou orgulhoso, nem grosseiro. Não exijo que as coisas sejam à minha maneira. Não sou irritável, nem rancoroso. Não me alegro com a injustiça, mas sim com a verdade. Eu nunca desisto, nunca perco a fé, sempre tenho esperança e sempre me mantenho firme".

Porque é isso que o amor faria.

8
Humildade
O banheiro executivo

ESCRITURAS → "Não sejam egoístas, nem tentem impressionar ninguém. Sejam humildes e considerem os outros mais importantes que vocês. Não procurem apenas os próprios interesses, mas preocupem-se também com os interesses alheios" (Filipenses 2.3-4).

PRINCÍPIO DE LIDERANÇA → Um líder humilde compreende que o mundo não gira ao seu redor. O líder humilde escuta as opiniões dos outros, encoraja pontos de vista em contraposição, valoriza todos os membros da equipe e busca o bem-estar dos outros acima do seu próprio.

*A verdadeira humildade não está em ter uma opinião
menos favorável de si; está em pensar menos em si.*
RICK WARREN

Deus me ensinou uma lição bastante cômica sobre a humildade em meu primeiro dia como diretor executivo da Lenox. Após oito anos de trabalho árduo, eu havia sido promovido finalmente ao cargo mais elevado, e aquele era o dia em que ocuparia pela primeiríssima vez o luxuoso escritório de canto, com janelas para dois lados do prédio. A mesa era tão grande quanto um couraçado, havia pinturas originais na parede, e — imaginem só — meu próprio banheiro executivo exclusivo. Lembro-me de levantar cedo naquele primeiro dia, pois mal podia esperar para ir ao trabalho. Assim, cheguei lá pelas sete horas, antes que qualquer outro na minha ala. Sentei-me àquela mesa imponente pela primeira vez e abri minha Bíblia para um momento de paz com o Senhor, orando para que ele me guiasse e me apoiasse em minhas novas responsabilidades. Eu me sentia bem satisfeito com meu novo *status*.

No entanto, depois de minha primeira xícara de café, senti o chamado da natureza, por isso entrei com orgulho em meu novo banheiro executivo reluzente, outro símbolo de que eu finalmente havia "chegado lá". E foi aí que aconteceu. Quando puxei a descarga, notei com terror no coração que a água não estava descendo, estava subindo. Eu havia entupido o vaso. Puxei a descarga de novo (um erro amador), o que só piorou a situação, com a água começando a vazar por cima da borda. Foi então que entrei em pânico. Seria mortificante ter de pedir a meu assistente administrativo que chamasse o departamento de manutenção porque o diretor executivo recém-empossado havia entupido o vaso sanitário. Aquela história se espalharia pelo prédio como fogo em palha.

Espere, porém. Eu não havia afundado de todo ainda; minha mente galopante formulou uma ideia. Dirigi-me até a porta e olhei para ambos os lados para ver se alguém havia chegado. Ainda não — ufa! Disparei pelo corredor, abrindo todos os armários que encontrava, procurando pelo único objeto que poderia me resgatar da humilhação — um desentupidor. Nada no primeiro armário, por isso corri para o segundo. Nada também no segundo. Pânico! No entanto, no terceiro armário, dei sorte: encostado no canto mais distante se encontrava um glorioso desentupidor! Aleluia! Eu o agarrei, dei uma espiada sorrateira à porta, olhei para os dois lados e corri de volta para meu escritório, fechando em segurança a porta. Eu estava quase a salvo. Depois de algumas tentativas, o desentupidor efetuou sua magia, e a descarga funcionou. Fui tomado pelo alívio... até que me dei conta de que ainda estava segurando o desentupidor. Agora eu precisava me livrar da "arma do crime". Assim, repeti a sequência frenética de espiar o corredor e sair em disparada até o armário para recolocar o desentupidor que me incriminava.

Quando enfim retornei a salvo à minha mesa, desabei na cadeira, suando profusamente, mas aliviado. E desatei a rir. Não sei se Deus prega peças em nós, mas tenho certeza de que ele estava por trás daquilo tudo. "Senhor, pelo jeito, no meu grande dia, tu consideraste que eu precisava de um pouco de humildade." Senti que Deus me alertava: "Certo, Sr. Manda-Chuva, é isso aí, você é o diretor executivo agora, mas lembre-se de que não é diferente nem mais especial do que qualquer outro que trabalha na Lenox. Fui eu que o coloquei nesse lugar e, se você se tornar arrogante demais, posso tirá-lo daí".

Esse episódio engraçado me serviu como um lembrete vívido do pecado do orgulho, que pode mostrar a cara feia com facilidade quando somos bem-sucedidos. É por isso que a humildade em um líder é uma qualidade tão rara. Rick Warren, em *Uma vida com propósitos*, descreveu a humildade desta forma: "A verdadeira humildade não está em ter uma opinião menos favorável de si; está em pensar menos em si".[1] A verdade dessa declaração ressoa dentro de mim, pois sugere que a humildade não requer que neguemos os dons e talentos positivos que possuímos, mas, em vez disso, que reconheçamos que esses dons e talentos nos são concedidos por Deus com um propósito. Você é criativo, carismático, eloquente, intuitivo, inteligente, dotado de astúcia política? Se qualquer um desses atributos se aplica a você, é porque Deus lhe conferiu essas dádivas. E elas lhe foram confiadas para que você as empregue de maneira a levar a glória a Deus e promova os propósitos dele, não para utilizá-las para sua própria glória e grandiosidade.

A primeira responsabilidade de um líder é o bem-estar das pessoas que lhes são confiadas para liderar. Considere de novo o treinador ou o regente da orquestra. A função deles é extrair o que há de melhor dos jogadores ou músicos sob seu comando. O segundo maior mandamento, amar o próximo como a nós mesmos, sugere que, como líderes, devemos cuidar do bem-estar daqueles que lideramos assim como cuidamos do nosso.

Existe uma passagem em Deuteronômio que trata dessa tendência bastante real ao orgulho quando experimentamos sucesso e prosperidade. Deus, por meio de Moisés, passou uma forte advertência aos israelitas logo antes de eles entrarem na Terra Prometida, lembrando-os de como dependiam por completo de Deus. Não se esqueça de que eles haviam acabado de passar quarenta anos peregrinando pelo deserto com Deus os sustentando ao lhes fornecer maná de forma milagrosa todos os dias — por mais de catorze mil dias! Seria de imaginar que a mensagem de como dependiam de Deus já teria penetrado em seu coração àquela altura. No entanto, Moisés queria ter certeza de que eles haviam aprendido a lição. Moisés os adverte de que não se tornem arrogantes ao passarem da provação do deserto à prosperidade da Terra Prometida, e de que se lembrem daquele que os guiou até lá.

> Quando tiverem comido até se saciarem, lembrem-se de louvar o Senhor, seu Deus, pela boa terra que ele lhes deu. Tenham cuidado para que, em meio à fartura, não se esqueçam do Senhor, seu Deus, e desobedeçam aos mandamentos, estatutos e decretos que hoje lhes dou. Quando ficarem satisfeitos e forem

prósperos, quando tiverem construído belas casas onde morar, e quando seus rebanhos tiverem se tornado numerosos e sua prata e seu ouro tiverem se multiplicado junto com todos os seus bens, tenham cuidado! *Não se tornem orgulhosos e não se esqueçam do* Senhor, *seu Deus, que os libertou da escravidão na terra do Egito. Ele os guiou pelo deserto imenso e assustador, cheio de serpentes venenosas e escorpiões, uma terra quente e seca. Ele lhes deu água da rocha. Sustentou-os no deserto com maná, alimento que seus antepassados não conheciam, para humilhá-los e prová-los para o seu próprio bem. Fez tudo isso para que vocês jamais viessem a pensar: "Conquistei toda esta riqueza com minha própria força e capacidade". Lembrem-se do* Senhor, *seu Deus. É ele que lhes dá força para serem bem-sucedidos*, a fim de confirmar a aliança solene que fez com seus antepassados, como hoje se vê.

Deuteronômio 8.10-18

Basicamente, Deus estava alertando Israel dos perigos do sucesso e da prosperidade. Ele os lembrou de que não fossem orgulhosos, pois a habilidade para criar riqueza e sucesso provinha de Deus, e ele os advertiu de que jamais acreditassem poder prosperar separados de Deus.

Acredito que uma das maiores armadilhas em que os líderes caem seja acreditar em sua própria publicidade: "Eu devo ser fantástico, já que é o que outras pessoas dizem. E olhe só para tudo que já conquistei". A liderança é sempre acompanhada pelo poder, e o poder tem o hábito de subir à cabeça do líder. Sentimos a aprovação daqueles que nos selecionaram para a posição de liderança e a estima daqueles que agora lideramos. O orgulho se enraíza com facilidade no solo da liderança. E o orgulho começa a nos desconectar de Deus.

> Uma das maiores armadilhas em que os líderes caem é acreditar em sua própria publicidade.

Um líder orgulhoso se torna arrogante, impressionado com as próprias habilidades e talentos, esquecendo que esses atributos lhe foram conferidos por Deus. Um líder orgulhoso prioriza seu próprio *status* e sucesso em detrimento dos outros. Enquanto isso, líderes humildes buscam o sucesso da equipe inteira. Líderes orgulhosos escutam apenas a si mesmos, enquanto líderes humildes escutam a opinião de muitos. Líderes orgulhosos veem os outros como um meio de alcançar o fim que desejam, mas o líder humilde vê o bem-estar dos funcionários como um fim em si.

Todos já vimos exemplos de líderes egocêntricos e cheios de si. Essas pessoas são muito comuns no ambiente de trabalho e na esfera pública. Com frequência, agem como se as regras normais não se aplicassem a eles. Justificam seu mau comportamento com base em seu próprio senso de superioridade, e deixam para trás um rastro de destruição. Com frequência, ainda que nem sempre, seu comportamento arrogante leva à sua própria derrocada, mas não antes que danos imensos sejam causados à instituição que lideram e às outras pessoas que trabalham lá. E penso que posso afirmar com confiança que ninguém quer ser liderado por um líder arrogante e egocêntrico.

Mais fácil falar do que fazer

Como alguém se torna um líder humilde? Como evitar as tentações do poder, sucesso e arrogância? Novamente, o processo se inicia com a rendição: "Seja feita a tua vontade, e não a minha. Como posso conhecer-te, amar-te e servir-te no lugar em que me colocaste?". Como falei mais de uma vez, a rendição de nossa vontade é um processo que leva a vida inteira e requer que revigoremos nosso relacionamento com Deus todos os dias ao passar tempo em sua Palavra e em oração.

No entanto, há algumas coisas práticas que podemos fazer também. Ao liderar outras pessoas, ofereça-lhes permissão para desafiar seu raciocínio e discordar de você quando acreditarem que

> Líderes humildes buscam o sucesso da equipe inteira.

têm uma ideia melhor. Não se permita se tornar o "imperador nu" a quem as pessoas temem contar a verdade. Aceite o fato de que Deus distribuiu dons e talentos a todos os membros de sua equipe e que, se conseguir lhes desencadear todos esses dons e talentos, você tomará decisões melhores e conquistará resultados superiores em comparação a um líder que incorpore uma atitude de "meu jeito ou o olho da rua".

Tomar essa abordagem exigirá reforços diários. Na minha experiência, as pessoas sempre se sentem um pouco intimidadas pelo chefe — ou com medo dele. Não é provável que corram o risco de discordar de você a menos que se sintam bem seguras de sua permissão para fazê-lo. E a primeira vez que der bronca em alguém por discordar de você será a última vez que se arriscarão a expressar uma ideia melhor ou um método diferente. Contudo, se perceberem que a ideia delas de fato mudou sua opinião ou influenciou o resultado de uma decisão, isso as encorajará a contribuir com mais ideias. Às vezes, eu iniciava uma reunião afirmando que queria ouvir as opiniões de todos e que esperava que pudéssemos ter um debate aberto sobre as questões que iríamos discutir. Eu era específico ao pedir às pessoas que desafiassem minhas ideias e se manifestassem quando discordassem. Insisti até que não me seriam muito úteis se não discordassem quando julgassem que eu estava errado. Você precisa se esforçar para criar esse tipo de cultura positiva em sua equipe. Cerque-se de pessoas inteligentes, autorize-as a desafiá-lo e mostre-lhes que você valoriza o que têm a dizer. E não se esqueça de creditá-las quando suas contribuições fizerem uma diferença.

Quando me tornei diretor executivo da Parker Brothers Games, um dos desafios que enfrentei foi tentar liderar um grupo de vice-presidentes mais de vinte anos mais velhos do que eu. Foi difícil para mim, e não há dúvida de que trabalhar para alguém tão mais jovem foi difícil para eles. Em poucos dias, senti a predisposição ao ressentimento entre o pessoal. Compreendi que tentar exigir que me respeitassem não daria certo, assim, em vez disso, busquei conquistar seu respeito. Falei sobre a importância de cada membro da equipe de liderança para nosso sucesso. E os convidei para que juntássemos nossos esforços a fim de encarar os desafios. Senti que estava progredindo um pouco, com exceção de um ponto de resistência: Bill, o vice-presidente de vendas e membro importante de nossa equipe. Bill estava com seus cinquenta anos e contava com mais de três décadas de experiência na indústria de brinquedos. Ele conhecia todo mundo e era muito bem estimado por todos. No entanto, eu conseguia ver pela linguagem corporal de Bill que ele não apoiava minha indicação à presidência.

Por isso, certo dia, fui até seu escritório, fechei a porta e lhe perguntei se poderíamos conversar. Eu lhe disse algo como: "Bill, percebo que você não está satisfeito por eu ter sido indicado para presidente. Entendo. Mas você precisa saber que não busquei essa posição e que também tenho completa noção de que não estava pronto para ela. Mesmo assim, a empresa-mãe me pediu que assumisse esse papel. Isto eu sei: não terei sucesso, e a empresa não terá sucesso, a menos que todos nós trabalhemos como um time. Sinto enorme respeito por você. Você é um líder fundamental aqui. Você já esqueceu mais sobre a indústria de brinquedos do que eu jamais aprenderei. E não há nenhum jeito de eu ser bem-sucedido sem sua sabedoria, orientação e apoio. Por isso, hoje estou lhe pedindo sua ajuda. Você me ajuda?". Bill parou para considerar o que eu tinha dito, depois me olhou nos olhos e me ofereceu um aperto de mãos. "Posso trabalhar com isso", respondeu ele. Daquele dia em diante, contei com o apoio total de Bill. O preço do apoio dele? Demonstrar alguma humildade.

Outro primeiro dia no escritório de canto

Alguns anos depois do episódio do banheiro executivo na Lenox, tive outro primeiro dia num escritório de canto. Desta vez, foi a quatro mil quilômetros de distância da Lenox, na Visão Mundial, perto de Seattle. Após diversos ataques de pânico quanto a deixar minha carreira para trás e seguir com nervosismo o chamado de Deus para uma função para a qual eu tinha poucas qualificações, eu me vi mais uma vez chegando cedo a meu novo escritório de canto para meu primeiro dia. Agora, porém, eu vivia um momento muito diferente no aspecto emocional. Em vez de me sentir envaidecido por ser o novo diretor executivo da Visão Mundial, estava apavorado. Sentia-me sobrecarregado pela responsabilidade de liderar uma organização da qual milhões de crianças dependiam para viver. Achava-me totalmente despreparado para liderar uma equipe de pessoas que sabia muito mais sobre pobreza global do que eu. Não tinha nenhuma experiência nessas questões. Ó céus, poucos dias antes eu estava vendendo louças finas aos ricos! Em resumo, sentia-me impotente e inadequado em absoluto.

E assim, naquela manhã, sentei-me à minha mesa e roguei a Deus: "Senhor, precisei de cada gota de coragem que havia em mim só para vir aqui hoje. Não faço nenhuma ideia do que fazer ou de como liderar neste lugar. Não estou qualificado ou preparado para o que está por vir. Ajuda-me, Senhor, por favor, ajuda-me!". Eu dava pena, choramingando a Deus em meu novo escritório de canto. E aquele foi o momento em que cheguei mais perto de ouvir a voz de Deus. Foi isto que escutei: "Rich, você está bem onde eu o quero, impotente e totalmente dependente de mim. Trabalhei por 25 anos para trazê-lo a este ponto de rendição total. Você tem sido obediente, e agora quero que confie em mim e observe o que vou fazer. Sei o que estou fazendo, Rich". E compreendi naquele instante a verdade do diálogo de Paulo com Deus a respeito da fraqueza: "[Deus] disse: 'Minha graça é tudo de que você precisa. Meu poder opera melhor na fraqueza'. Portanto, agora fico feliz de me orgulhar de minhas fraquezas, para que o poder de Deus opere por meu intermédio" (2Coríntios 12.9). Entenda, Deus não se impressiona com nossa força; ele nos quer humildes e dependentes em absoluto dele em nossa fraqueza. Só então obtemos acesso total ao poder de Deus que opera por nosso intermédio. "Pois os que se exaltam serão humilhados, e os que se humilham serão exaltados" (Lucas 14.11).

9
Integridade
Quem você é quando ninguém o observa

ESCRITURAS →
"S‍ENHOR, quem pode ter acesso a teu santuário?
  Quem pode permanecer em teu santo monte?
Quem leva uma vida íntegra e pratica a justiça;
  quem, de coração, fala a verdade.
Quem não difama os outros,
  não prejudica o próximo,
  nem fala mal dos amigos.
Quem despreza os que têm conduta reprovável,
  e honra os que temem o S‍ENHOR,
  e cumpre suas promessas mesmo quando é prejudicado.
Quem empresta dinheiro sem visar lucro
  e não aceita suborno para mentir sobre o inocente.
Quem age assim jamais será abalado" (Salmos 15.1-5).

PRINCÍPIO DE LIDERANÇA → A integridade é um dos valores mais poderosos de um líder e o fundamento de sua credibilidade. Ela cria uma cascata de resultados positivos para uma equipe ou organização, incluindo confiança, união, motivação e moral e produtividade elevadas.

É mais importante fazer a coisa certa do que fazer as coisas direito.
PETER DRUCKER

Dizem que integridade é fazer a coisa certa mesmo quando não há ninguém olhando. Em outras palavras, o comportamento de um líder na vida privada é um bom indicador de sua verdadeira natureza. Se o comportamento na vida privada é honesto e ético, é provável que seu comportamento em público também seja confiável. Esse tem sido sempre o teste decisivo quanto à integridade, pois revela a consistência do caráter de alguém. E aqui há uma verdade universal: todos apreciam e valorizam colegas e chefes que demonstram integridade. E essas são as mesmas pessoas que os empregadores querem contratar e promover por causa do impacto positivo que produzem no local de trabalho. No entanto, para nossa tristeza, integridade desse tipo no ambiente de trabalho não é a norma.

O "teste do Clint"

No início da carreira, numa de minhas primeiras entrevistas de emprego, fui colocado à prova quanto ao princípio do comportamento na vida privada e o comportamento em público. Com 25 anos na época, tive um dia cheio de entrevistas para uma função de iniciante na área de *marketing* na Parker Brothers Games. Impressionei-me com o fato de que até para uma função de iniciante eles haviam arranjado que eu conhecesse vários dos vice-presidentes, três diretores de *marketing* e até um "encontro relâmpago" com o presidente. Eu queria muito aquele emprego, por isso me esforcei ao máximo para causar boa impressão. Então, na hora do almoço, surpreendi-me quando me enviaram para um encontro de quase duas horas com um funcionário chamado Clint, que ocupava um cargo bem inferior como analista de pesquisa em *marketing*. Eu duvidava que a opinião dele importasse muito em comparação com a dos diretores e vice-presidentes, mas fomos juntos a uma lanchonete nas redondezas.

> O comportamento de um líder na vida privada é um bom indicador de sua verdadeira natureza.

Pelo que me lembro, Clint e eu nos divertimos comendo mariscos fritos em algum lugar de Salem, em Massachusetts, e conversando sobre como era de fato trabalhar na Parker Brothers. Alguns dias mais tarde, recebi com imensa alegria o telefonema me oferecendo o emprego. Poucas semanas mais tarde, em meu primeiro dia de trabalho, passei a manhã com meu novo chefe recebendo instruções, mas o que me lembro até hoje foi seu comentário inicial. (Pareço ter muitos primeiros dias importantes no trabalho.) Ele olhou para mim e perguntou: "Você sabe por que nós o contratamos, não sabe?". Sem dúvida eu pensava que deveria ter sido por causa de minha brilhante técnica de entrevista, minha personalidade cativante, meus cabelos prematuramente grisalhos, meu impressionante diploma de MBA da Wharton, ou talvez meus sólidos vinte meses de experiência pregressa de trabalho. Isto foi o que ele me revelou, porém: "Você passou no 'teste do Clint'. Sabíamos que você demonstraria seu melhor comportamento com os diretores e os vice-presidentes, mas queríamos ver se você agiria como um cretino quando baixasse a guarda, por isso pedimos que almoçasse com o Clint. Você passou. Clint nos contou que, na opinião dele, você é um cara legal, por isso o contratamos". Uau! E eu havia pensado que ninguém estava me observando. Quarenta e três anos mais tarde, Clint e eu ainda trocamos cartões de Natal todos os anos.

Já que a integridade é um conceito tão amplo, permita-me subdividi-la em três categorias: pessoal, relacional e corporativa.

Integridade pessoal

Acredito que a integridade seja a estrela guia da liderança. É a bússola moral e ética que permite que um líder enfrente toda e qualquer situação com a confiança de estar rumando na direção correta. Sem essa estrela guia, é comum que os líderes se percam no caminho ante as tempestades e marés turbulentas da vida e do trabalho. Sem integridade, os líderes vagueiam à deriva em meio ao relativismo e à expediência, afastando-se com facilidade da linha de prumo da ética persistente.

Um líder com integridade transmite à equipe a garantia de que sempre se esforçará para fazer a coisa certa, tomar a atitude justa, aconteça o que acontecer. Ele mantém a palavra e trata os outros com respeito. As pessoas confiam em um líder assim e sempre sabem o que ele espera delas. Isso ajuda a organização como um todo a trabalhar com autoconfiança e a se concentrar em cumprir a missão. A integridade talvez seja a qualidade mais importante de um líder. Eu a encaro como uma espécie de superqualidade, pois quando um líder demonstra integridade de maneira consistente, isso acarreta uma enxurrada de resultados positivos. Constrói-se uma cultura de confiança, o medo e a ansiedade diminuem, o estado de espírito entre os funcionários e até mesmo a satisfação dos clientes melhoram, e a produtividade aumenta. E não é verdade que todos querem servir sob o comando de um líder que demonstre de maneira constante uma integridade moral e pessoal?

Em contraste, um líder com pouca ou nenhuma integridade cria uma enxurrada de negatividade no local de trabalho — medo, desconfiança, autointeresse, atitude defensiva, confusão, desencorajamento e politicagem tóxica de escritório. Entretanto, a beleza dessa superqualidade é que desenvolver a integridade não requer habilidade, educação, intelecto ou visão. Integridade tem a ver com caráter e confiabilidade, e é acessível a todos no organograma, desde o recepcionista até o diretor executivo.

> Integridade tem a ver com caráter e confiabilidade.

Entretanto, também preciso frisar que é possível que a integridade se torne uma desvantagem em certas situações. Você talvez trabalhe em um ambiente em que se sinta pressionado a distorcer a verdade, cometer atos antiéticos ou acompanhar o grupo ao fazer algo errado. Nem todos os locais de trabalho operam por regras éticas. Em uma situação como essa, comportar-se com integridade pode custar caro.

Certa vez, fui despedido por causa de meus valores. Eu trabalhava para uma chefe que liderava impondo medo, raiva, abuso e vergonha a fim de estimular o desempenho dos funcionários. Ela criou uma cultura de trabalho sombria e ofensiva que magoava as pessoas. Procurei ao máximo levar um pouco de luz àquela escuridão, tornando-me uma voz em favor da integridade, justiça e encorajamento — tentando proteger minha equipe dos abusos da líder sempre que possível. No dia em que me despediu, ela admitiu que não tomou aquela decisão por causa de meu desempenho; era porque eu a deixava desconfortável, pois ela sabia que eu "não aprovava os métodos dela". Porque ela se sentiu "desconfortável", acabei sem trabalho pelos nove meses seguintes. Por isso, sim, às vezes há um preço a pagar quando tentamos viver nossa fé no trabalho. Contudo, Jesus nunca nos prometeu uma fé que não custasse nada.

Integridade relacional

Quando pensamos em falta de integridade, tendemos a pensar primeiro em mentirosos, ladrões ou trapaceiros. Esses são os retratos "típicos" dos comportamentos sem integridade. No entanto, a integridade é um conceito muito mais amplo. A área inteira da integridade relacional influencia todas as nossas interações com os outros. Você já utilizou palavras ou frases como estas para descrever pessoas em seu local de trabalho, igreja ou comunidade: hipócrita, falso, egoísta, individualista, duas-caras, desonesto, oportunista, egocêntrico, fingido, traiçoeiro, bajulador, manhoso, suspeito? Não me dei conta de quantos desses termos havíamos criado até eu começar a listá-los. Cada uma dessas descrições se refere à questão da integridade relacional. O que outras pessoas enxergam em nós ao interagir conosco? A integridade em nossos relacionamentos requer que lidemos com os outros de forma honesta, sincera, transparente, atenciosa e justa. As pessoas deveriam se sentir seguras conosco, sabendo que nunca tentaremos tirar vantagem delas, que podem confiar em nós, contar conosco e nos confidenciar qualquer coisa.

Por que isso é tão importante? Pense no que acontece numa organização em que a integridade relacional não existe. Alguém insinua algo sobre você pelas costas, por isso você decide encontrar um meio de se vingar. Outra pessoa faz um comentário que o embaraça numa reunião, por isso você passa a evitá-la, pois a considera desagradável. Você reage de maneira rude quando alguém lhe pede ajuda, e agora essa pessoa começa a evitá-lo, e por aí vai. Antes que você se dê conta, a organização se torna tóxica e incapacitada. As pessoas cambaleiam pelos corredores como o fantasma de Jacob Marley, personagem de *Um conto de Natal* de Charles Dickens, arrastando as pesadas correntes tilintantes de relacionamentos rompidos e disfuncionais. Dan não consegue trabalhar com Mark. Susan tenta evitar Ashley. Ninguém confia em Dave. A ambição de Heather é implacável. Todos fofocam sobre como Frank é um canalha. Isso lhe soa familiar?

Não seja essa pessoa! Não mantenha um registro de quem fez o que para quem, e não guarde ressentimentos. Não seja rancoroso e perdoe aqueles que o tratam mal. Seja aquele que introduz uma lufada de ar fresco, a pessoa em quem todos confiam, aquele que trabalha para o bem maior. Na minha experiência, a maioria dos chefes deseja ter gente assim em sua equipe, e cada organização quer contratar pessoas que acrescentem esse tipo de valor. No curto prazo, agir com esse tipo de integridade talvez crie obstáculos à carreira, mas, no longo prazo, a integridade costuma se provar um atributo vitorioso.

Certa vez, trabalhei com um *coach* para executivos que me ofereceu um bom conselho que jamais esqueci. Ele sugeriu que eu adotasse uma simples pergunta de três palavras em meu local de trabalho: Como posso ajudar? Quando seu telefone tocar, responda dizendo: "Alô. Aqui é o Rich, como posso ajudar?". Se alguém entrar em seu escritório, pergunte-lhe: "Oi, como posso ajudar?". Ele garantiu que, se eu abordasse as pessoas com esse espírito cooperativo, eu descobriria que todos iriam querer trabalhar comigo. Eu me tornaria mais útil e valioso para a organização. E mesmo que não tenha seguido seu conselho de modo literal, palavra por palavra, tenho tentado tornar esse espírito de cooperação a marca registrada de minha abordagem à liderança.

Para um cristão, a integridade deveria significar muito mais do que apenas uma técnica de administração a ser utilizada para obter vantagens táticas. Os princípios morais e éticos devem emanar de algum padrão de verdade e retidão que não se altere de um ano para o outro ou de uma situação para outra. Na realidade, a maior parte do comportamento ético geralmente aceito hoje em dia deriva da ética judaico-cristã. Imparcialidade, justiça, honestidade, bondade, generosidade — todas essas qualidades são princípios bíblicos que vêm moldando nossa cultura ocidental por milhares de anos. A integridade é fundamental para nossa fé cristã e um requisito de nosso compromisso com Deus de que viveremos segundo seus ensinamentos. Para sermos embaixadores eficientes de Cristo no local de trabalho — nossa única função —, precisamos ser pessoas de integridade. Paulo fala da importância de fazer a coisa certa, não apenas porque isso agrada a Deus, mas porque outras pessoas nos observam. Este versículo foi impresso em todos os contracheques da Visão Mundial: "Tomamos o cuidado de agir honradamente não só aos olhos do Senhor, mas também diante das pessoas" (2Coríntios 8.21).

Integridade corporativa

A integridade não é apenas uma qualidade dos indivíduos; também caracteriza a cultura de uma organização inteira. E a cultura de uma organização costuma ser definida por seus líderes. Às vezes, organizações imensas desenvolvem culturas em que a fraude, a ganância, o abuso e o oportunismo levam a resultados desastrosos. Em anos recentes, temos visto o comportamento deplorável de empresas farmacêuticas que promovem a venda de opioides mesmo sabendo muito bem como essas substâncias causam dependência. A Wells Fargo abriu aqueles milhares de contas bancárias espúrias em nome dos clientes sem o conhecimento destes a fim de aumentar os próprios lucros. A Fox News promoveu uma cultura tóxica de assédio sexual que acabou por derrubar seu presidente executivo e outras personalidades famosas de seu canal. A Theranos, uma empresa médica do Vale do Silício, se revelou um embuste colossal. Sua fundadora criou uma cultura de logro e medo para disfarçar o fato de que sua tecnologia para realizar análises sanguíneas não funcionava. A lista de escândalos desse tipo é longa, mas todos eles têm em comum a mesma causa principal: a falta de integridade e de apego à moral, aos princípios éticos e à honestidade. Por trás de cada um desses escândalos está a incapacidade da liderança da organização de definir valores, estabelecer expectativas e oferecer exemplos positivos por meio de suas palavras e ações.

Na Visão Mundial, era comum que falássemos do "tom do topo", indagando que tipo de exemplo nós, como líderes, estabelecíamos para todos os demais. Estávamos colaborando bem, respeitando uns aos outros, seguindo os padrões éticos e empregando palavras positivas e inspiradoras? Estávamos comprometidos com a missão da organização e dispostos a fazer sacrifícios para o bem maior? E estávamos vivendo os valores com que queríamos caracterizar a organização?

A integridade da semente de abóbora

No início de meu mandato na Visão Mundial, tive a oportunidade de elevar a integridade como um valor organizacional central após descobrir que um de nossos programas de *marketing* havia sido prejudicado. Uma vez por ano, a Visão Mundial enviava correspondência em massa para quase dois milhões de pessoas, tentando atrair novos doadores para a organização. A mais eficiente dessas correspondências incluía um dispositivo para chamar a atenção. Ao solicitar doações para ajudar trabalhadores rurais na África, incluímos no envelope um pacote de sementes de abóbora verdadeiras, afirmando que, se a pessoa nos enviasse essas sementes de volta com uma contribuição, nós enviaríamos as sementes, por nossa vez, a um trabalhador rural na África, que então receberia treinamento agrícola da Visão Mundial, o que lhe permitiria cultivar abóboras e outras lavouras para alimentar a família dele. Havia algo de motivador nessa oferta, e todos os anos milhares de pessoas de bom coração respondiam. Era uma de nossas campanhas mais bem-sucedidas — até que descobri, certo dia, que havia milhares de pacotes de sementes de abóbora se acumulando em nosso armazém. Aparentemente, as pessoas as haviam enviado de volta para nós como havíamos pedido, mas, naquele ano, em vez de repassá-las aos trabalhadores rurais, como havíamos feito no passado, elas estavam se acumulando em nosso armazém. Havíamos utilizado as doações em dinheiro que as pessoas haviam mandado para ajudar os trabalhadores como havíamos prometido, mas não havíamos mandado os pacotes de sementes de abóbora.

Quando investiguei mais a fundo, descobri que duas pessoas em nosso departamento de *marketing* entenderam que enviar as sementes de abóbora para a África era ineficiente e não fazia sentido econômico, por isso, naquele ano, decidiram não as enviar. Alegrei-me ao saber que eram apenas dois membros juniores da equipe que estavam envolvidos naquela decisão. Eles estavam corretos quanto ao raciocínio de que mandar os pacotes de semente era um pouco ineficiente, mas essa não era a questão. A decisão deles havia ferido nossa integridade, e havíamos quebrado uma promessa a nossos doadores. Quando descobri, fiquei furioso. Nosso bem mais importante como instituição de caridade era nossa integridade. Milhares de pessoas nos mandavam milhões de dólares todos os anos porque confiavam em nós. Elas acreditavam que faríamos o que havíamos prometido. Caso perdêssemos isso, poderíamos perder tudo. Numa reunião tensa com o diretor executivo (eu), informei àqueles indivíduos que eu não toleraria nenhuma quebra de integridade em relação a nossos doadores, não importava o quão insignificante pudesse parecer. E insisti que eles agora passassem a trabalhar com o armazém para enviar aquelas sementes aos trabalhadores rurais, como havíamos prometido.

Em seguida, convoquei uma reunião com toda a equipe para apresentar os resultados de nossa investigação e utilizá-la como uma lição. Eu disse algo nesta linha: "Todos nós trabalhamos arduamente aqui para aumentar nosso faturamento todos os anos de modo a conseguir ajudar mais pessoas. E sei que todos vocês sentem a pressão de produzir esse aumento. Mas quero que escutem isto com muita clareza. Não importa quanta pressão vocês enfrentem para aumentar o faturamento, a integridade *sempre* está acima do faturamento. Os fins nunca justificam os meios se os meios exigirem que façamos algo para enganar nossos doadores. Deixem-me ser bem claro. É improvável que vocês percam o emprego se não atingirem sua meta de rendimento, mas prometo a vocês que, caso prejudiquem nossa integridade, não continuarão a trabalhar aqui. Todos entenderam isso agora?".

Creio que aquele foi o momento em que fui mais ríspido em minha função de líder. Alguns membros da equipe me revelaram mais tarde que aquele episódio levou tanto clareza quanto alívio à organização. O líder afirmou que valorizava a integridade mais do que os resultados. Não atingir uma cota de tempos em tempos era aceitável, mas nunca seria aceitável realizar algo antiético. Isso esclareceu e reforçou a cultura de integridade na Visão Mundial. Na realidade, acredito que o episódio levou ao estabelecimento de uma "linha direta da integridade", facilitando aos funcionários reportar diretamente à diretoria, de forma anônima, quaisquer violações éticas que testemunhassem.

Há livros inteiros dedicados à importância da integridade, e é difícil fazer justiça a essa virtude em apenas um curto capítulo. No entanto, espero que agora você compreenda a importância dela para todos, especialmente para os líderes. Um dos versículos do Novo Testamento que costumo escrever quando alguém me pede para autografar um de meus livros é Mateus 5.16: "Da mesma forma, suas boas obras devem brilhar, para que todos as vejam e louvem seu Pai, que está no céu". Temos o privilégio de refletir a luz de Cristo em nosso local de trabalho e em nossa comunidade. Temos a oportunidade de brilhar em locais que são às vezes sombrios, de ser uma presença calma em meio à tempestade, de ser a voz da razão em situações angustiantes. Esse é o poder da integridade. E quando efetuamos o Grande Mandamento de amar o próximo, amando e cuidando de nossos colegas de trabalho, atraímos as pessoas para a luz do evangelho, pois elas enxergam algo diferente em nós, algo atraente, cativante e vivificante. Nós lhes mostramos um modo diferente de viver e de trabalhar juntos ao levar o reino de Deus conosco para o trabalho todos os dias.

10
Visão
Visualizando um futuro melhor

ESCRITURAS → "Certo dia, quando Jesus viu que as multidões se ajuntavam, subiu a encosta do monte e ali sentou-se. Seus discípulos se reuniram ao redor, e ele começou a ensiná-los.

'Felizes os pobres de espírito,
  pois o reino dos céus lhes pertence.
Felizes os que choram,
  pois serão consolados.
Felizes os humildes,
  pois herdarão a terra.
Felizes os que têm fome e sede de justiça,
  pois serão saciados.
Felizes os misericordiosos,
  pois serão tratados com misericórdia.
Felizes os que têm coração puro,
  pois verão a Deus.
Felizes os que promovem a paz,
  pois serão chamados filhos de Deus.
Felizes os perseguidos por causa da justiça,
  pois o reino dos céus lhes pertence'" (Mateus 5.1-10).

PRINCÍPIO DE LIDERANÇA → Uma das principais tarefas de um líder é promover a visão de um futuro diferente e melhor, e acreditar que ele possa ser concretizado.

Visão sem ação é um mero sonho. Ação sem visão só serve para passar o tempo. Visão com a ação é capaz de mudar o mundo.
JOEL A. BARKER

Bons líderes devem comunicar sua visão com clareza, criatividade e constância. No entanto, a visão não ganha vida até que o líder lhe dê forma.
JOHN C. MAXWELL

A visão, ou a projeção de uma visão, talvez seja uma das qualidades de liderança mais difíceis de encarnar, pois exige que um líder visualize o futuro. É responsabilidade do líder demarcar o curso, fornecer direcionamento e estabelecer prioridades para o grupo ou organização que lidera para que estes cheguem a algum estado futuro desejado. Contudo, visualizar o futuro não é tarefa fácil. Costumo comparar essa tarefa a dirigir um ônibus à noite numa estrada tortuosa em meio a uma nevasca a 110 quilômetros por hora sem limpadores de para-brisa enquanto todos os passageiros criticam sua habilidade como motorista.

Liderar com visão é difícil. Ainda assim, providenciar uma visão motivadora para qualquer organização ou iniciativa é um elemento crucial para criar clareza, unidade e motivação. Quando uma equipe entende onde está, para onde precisa ir e o que é necessário para chegar lá, isso fornece a clareza de que ela necessita para realizar a tarefa.

Uma vez que projetar uma visão parece algum tipo misterioso de adivinhação, considero útil dividir o processo em quatro partes. Um líder deve definir a realidade atual, articular um futuro desejado, identificar um caminho a seguir e "apoderar-se" pessoalmente dessa visão. Permita-me explicar cada um desses quatro elementos e oferecer alguns exemplos.

Definir a realidade

Antes de ser capaz de visualizar um futuro desejado, o líder precisa primeiro ter um entendimento completo do presente. Em outras palavras, antes de firmar um destino, é útil saber qual é seu ponto de origem. É por isso que o GPS lhe pede sua localização atual antes de estabelecer uma rota para seu destino. O que descobri depois de muitos anos de experiência é que as organizações costumam ter uma visão distorcida da realidade. É comum que se deixem levar por suposições incorretas a respeito de sua situação. Jim Collins lista enfrentar "os fatos brutais da realidade" como um passo essencial para os líderes.[1] A análise FOFA (Forças, Oportunidades, Fraquezas e Ameaças) de Albert Humphrey é um exercício concebido para ajudar organizações a definir com clareza a realidade de sua posição atual.[2] Não entender a realidade presente que afeta uma organização pode ter resultados desastrosos. As empresas automotivas dos Estados Unidos descartaram de maneira tola a ameaça dos importados japoneses, acreditando que consumidores americanos nunca optariam por carros japoneses. A Kodak não se adaptou à revolução digital, ofuscada pela lucratividade de seus negócios com filme. Quando trabalhei para a Parker Brothers Games, a administração teve grandes dificuldades para perceber que os *videogames* se tornariam uma ameaça para os jogos de tabuleiro convencionais. Eu defendi a noção de que não estávamos no negócio de jogos de tabuleiros, mas de atividades de entretenimento no lar, e dois anos mais tarde, depois de lançarmos nossos *videogames*, nossa empresa centenária dobrou de tamanho. Você entendeu a ideia. Uma visão para um futuro melhor começa com uma avaliação séria da realidade atual.

> Uma visão para um futuro melhor começa com uma avaliação séria da realidade atual.

Permita-me utilizar um estudo de caso de minha época na Lenox. Quando fui nomeado presidente da divisão de louças finas, eu sabia tanto quanto você sobre o mercado de louças — em outras palavras, quase nada. E para piorar a situação, a equipe de liderança da Lenox também sabia que eu não sabia nada, o que tornava um pouco desafiador conquistar confiança como seu novo líder. Por isso, confessei-lhes que eu não sabia nada (aí entra a questão da humildade) e perguntei se eles me ajudariam, fornecendo-me uma orientação completa sobre a indústria. Compreendia que não conseguiria ser um líder eficaz a menos que primeiro desenvolvesse minha própria "visão de mundo" acerca da Lenox e da indústria em que ela competia. Em resumo, aqui está o que aprendi naquelas primeiras semanas e meses:

- Depois de mais de cinquenta anos no topo, a Lenox havia perdido sua posição no mercado para a Noritake, uma importadora do Japão.
- Os *designs* da Lenox haviam se tornado cada vez mais sofisticados e caros, em especial quando comparados com os da Noritake, mais simples e baratos. As linhas novas de produtos mais recentes da Lenox haviam fracassado.
- Os executivos da Lenox menosprezavam a Noritake e os outros competidores porque os consideravam importadores de produtos baratos, inferiores e deselegantes. (Isso não lembra um pouco o que aconteceu com a indústria automobilística na década de 1970?)
- O consumidor típico de louças finas era uma noiva de 24 anos e sua mãe, já que casamentos eram quando a maioria dos casais adquiria seus aparelhos de jantar.

Havia muito mais do que só esses quatro pontos, mas isso já lhe dá uma ideia. Percebi que tinha de ajudar a equipe de liderança da Lenox a enxergar a realidade de sua situação naquele momento antes de conseguir ajudá-los a traçar uma rota em direção a um futuro melhor. E esse processo de definir a realidade, de colocar os fatos na mesa, era tão importante para eles quanto para mim.

Articulando um futuro desejado

Nesse caso específico, expressar um futuro desejado foi bastante fácil. A equipe da Lenox se encontrava desesperada para reconquistar sua posição no topo do mercado. Havíamos perdido credibilidade junto a nossos compradores nas lojas de departamentos. Perdíamos espaço nas estantes para outras marcas mais sintonizadas às noivas consumidoras. E nossas fábricas enfrentavam dificuldades por causa da queda de produção. Por isso, estabelecemos a meta de retornarmos ao topo, levando a sério nossos competidores mais baratos e também escutando com mais atenção as necessidades e os desejos de nossas consumidoras típicas.

Identificando um caminho a seguir

Em seguida, tivemos de estabelecer uma rota para atingir essa meta. Como líder, tomei algumas iniciativas importantes que reforçariam a realidade de nossa situação. Em primeiro lugar, montei uma "sala de guerra" no salão de conferências onde ocorriam todas as reuniões de nossa equipe. Pedi que fossem expostos naquela sala, em ordem descendente nas estantes, serviços individuais dos cinquenta padrões de louça mais vendidos no mercado. Eu queria que a equipe visse todos os dias como eram os padrões de louça mais vendidos e de maior sucesso. E embora eles zombassem de muitos dos padrões por serem ingênuos e simplistas, continuei a insistir que, gostassem ou não, aqueles eram os produtos que as jovens noivas estavam comprando. Persisti no processo de definir a realidade.

A seguir, eu lhes informei que iríamos mostrar cada *design* novo da Lenox a centenas de noivas e respectivas mães antes de lançá-los. Apenas os novos padrões que recebessem notas altas de nossas consumidoras típicas prosseguiriam para o mercado. Todos os *designers* reviraram os olhos ante essa ideia, pois, é claro, eles sabiam mais do que qualquer um. Eram *designers* diplomados em arte. As noivas quase sempre pareciam preferir padrões com *designs* mais simples e versáteis àqueles mais elaborados e sofisticados. Argumentei que nosso desafio era criar padrões que fossem elegantes, simples e acessíveis. E concordamos em apenas introduzir novos padrões que passassem primeiro pelo "teste das noivas". Também conversamos com os compradores das lojas de departamentos para obter sua perspectiva do mercado e trabalhar com nossas fábricas em estratégias para baixar os custos, a fim de nos tornarmos mais competitivos. Tínhamos muito trabalho a fazer.

Apoderando-se da visão

Não basta que um líder defina a realidade e ajude a determinar um caminho a seguir; ele deve se apoderar totalmente da visão de um futuro melhor. Uma nova visão não se torna realidade só porque o líder a envia por *e-mail* para todos. O líder precisa incorporar de forma visível a visão — consumi-la ao comer, dormir e beber — dia após dia, à vista de todos da organização. Alterar crenças profundas e comportamentos entranhados é difícil. Toda uma indústria se desenvolveu em torno de administração de mudanças, ajudando organizações a socializar e internalizar as mudanças necessárias para que obtenham sucesso. E os melhores líderes lideram por exemplo.

No meu exemplo na Lenox, eu estava tentando refutar a sabedoria estabelecida que *designers* e profissionais de *marketing* haviam desenvolvido por décadas de sucesso anterior. Eu sabia que não seria fácil para eles abandonar a situação em que se encontravam sem sérios esforços. Desse modo, tomei medidas visíveis para me apoderar da visão de maneira pessoal.

Em primeiro lugar, investi tempo e energia na nova visão. Pelos meses seguintes, todas as reuniões de *marketing* e *design* foram realizadas naquela "sala de guerra", muitas vezes discutindo o que estava de fato sendo vendido nas lojas de departamento. Estávamos reunidos em torno da meta de reconquistar nossa posição no topo do mercado. Voltamos a nos dedicar a pôr o consumidor em primeiro lugar. Em cada exposição da indústria, visitei todos os *showrooms* de nossos competidores para continuar meu aprendizado e observar de perto todos os novos produtos deles. Levei horas e horas perambulando por quilômetros de *showrooms* de louças finas. Você sabe o que é "tortura"? Também me comprometi a assistir a cada reunião de *design* de novos produtos com minha equipe. Isso é algo que não se esperava do diretor executivo, que costuma delegar essas reuniões às equipes de *marketing* e *design*. No entanto, informei a equipe de que nada era mais importante para o futuro da Lenox do que selecionar os novos produtos que levaríamos ao mercado. Assim, comprometi-me a investir enorme parte de meu tempo nisso. Eu me apoderei da visão, pregava-a todos os dias, e investia tempo e energia para torná-la realidade.

Depois disso, arrisquei-me e dobrei a aposta. Pedi que nossa fábrica me fizesse o favor de produzir quatro protótipos de *designs* de prato: um com uma faixa estreita de preto com dourado na borda, um com azul e dourado, um com verde e dourado, e um com vermelho e dourado. Os olhos reviraram de novo. Agora o cara novo sem nenhuma experiência em *design* estava projetando padrões de louça por conta própria. Porém, no processo de definir a realidade para mim mesmo, eu havia me convencido de que as ideias mais simples, que também poderiam ser vendidas a preços mais baixos, haviam sido negligenciadas por meus *designers* com treinamento em escolas de arte, pagos para criar desenhos novos, maravilhosos, e muitas vezes caros. Esses quatro padrões simples também foram mostrados às noivas em nossa pesquisa de mercado, e cada um deles obteve notas altas. Assim, na exibição seguinte de aparelhos de jantar, nós os introduzimos, com olhos revirados e tudo mais.

O que aconteceu então? O primeiro dos novos padrões que saiu de nossa pesquisa e do processo de *design* começou a decolar nas lojas de varejo. As noivas os receberam bem, e os compradores das lojas de departamentos vibraram com o ressurgimento da Lenox. Estávamos começando a agitar a indústria de novo. Esses quatro padrões simples a preços mais baixos que eu havia "projetado" surpreenderam a todos — até mesmo a mim. De mais de setecentos padrões ativos de louças no mercado, um deles entrou para os dez melhores, outros dois entraram para os vinte melhores, e o quarto constava da lista dos melhores cinquenta. As noivas adoraram sua simplicidade e preço.

Nosso objetivo de retornar ao topo do mercado e nossa estratégia para chegar lá transformaram os céticos em crentes e acabou por unir toda a empresa em torno dessa visão compartilhada. E, é claro, não há nada melhor do que o sucesso para unir uma equipe e empolgá-la em relação ao futuro, para não falar de alguns cheques de bônus excelentes.

Nos vários anos que se seguiram, a participação da Lenox no mercado foi de 26% para 45%, enquanto a da Noritake caiu mais de 10%. O retorno da Lenox começou com a *definição da realidade* e o enfrentamento de fatos concretos. Disso emergiu a *visão* de nos tornarmos o líder na indústria mais uma vez. Por sua vez, isso nos ajudou a identificar um *caminho a seguir* que envolvia muitos passos direcionados e muito trabalho árduo. Por fim, como líder, precisei arregaçar as mangas e *me apoderar da visão*. Precisei investir tempo e energia trabalhando lado a lado com outros membros da equipe. Tinha de acreditar naquilo se quisesse que eles acreditassem também.

Sim, é provável que esse exemplo da Lenox não soe apropriado para um livro sobre as qualidades espirituais de um líder. Entretanto, se você aceitar minha premissa anterior de que Deus utiliza os líderes para mudar o mundo modelando e redimindo as instituições humanas, os métodos para realizar isso também são importantes no aspecto espiritual. Provérbios 29.18 afirma: "O povo que não aceita a orientação divina se corrompe, mas quem obedece à lei é feliz". Projetar uma visão motivadora para um futuro desejado não apenas ajuda as corporações a prosperar, mas também aprimora a eficiência das igrejas, dos ministérios cristãos, de nosso sistema escolar, de nossas comunidades e de nosso governo também.

A visão de Jesus

Quero encerrar este capítulo indicando o exemplo de Jesus, cuja visão persuasiva de uma forma diferente para que homens e mulheres se relacionassem com Deus mudou nosso mundo. Jesus foi o mestre da projeção de visões. Estas foram as primeiras palavras que ele enunciou após ser batizado por João: "Enfim chegou o tempo prometido! O reino de Deus está próximo! Arrependam-se e creiam nas boas-novas!" (Marcos 1.15). Ele anunciou que o reino de Deus estava finalmente chegando, que esta era uma boa notícia, e que tudo que as pessoas precisavam fazer para entrar nesse novo reino era arrepender-se e crer. Ele então passou os três anos seguintes pregando sua visão do reino que viria.

Pense no que ele conseguiu realizar durante esses três anos. Ele não apenas transformou o paradigma predominante da centenária fé judaica; ele a substituiu com uma nova visão radical do reino de Deus. Sua nova visão cativante desencadeou uma revolução que motivou e fortaleceu aquela nova geração de cristãos de maneiras impressionantes. A despeito das perseguições, do martírio, da oposição dos judeus e do punho de ferro do Império Romano, esse novo movimento de fé se multiplicou e se espalhou. No século 4, o cristianismo havia se tornado a religião oficial do Império Romano. Nos séculos desde então, alterou e modelou de maneira profunda cada dimensão de nossa existência humana: as leis, a justiça, os direitos humanos, os governos, os negócios, a educação, o casamento, a família e a caridade, só para listar algumas. E dois mil anos mais tarde, a fé cristã conta com mais de dois bilhões de fiéis. Esse foi o poder da forma como Jesus moldou uma nova visão para a prosperidade humana durante seus três curtos anos de ministério público.

Como ele conseguiu isso? Ele utilizou os mesmos quatro princípios que delineei acima. Ele definiu a realidade dos judeus do primeiro século, ofereceu uma visão nova e persuasiva de um futuro melhor, revelou um novo rumo a ser seguido no relacionamento entre Deus e a humanidade, e apoderou-se por inteiro dessa nova visão de um futuro diferente, dando-lhe forma.

Jesus tinha uma tarefa complicada de gerenciamento de mudança. Examinemos a fé judaica na Palestina do primeiro século — o contexto em que Jesus viveu. O judaísmo havia passado a ser dominado pela liderança corrupta e legalista dos fariseus e saduceus. Estes haviam feito um acordo para compartilhar o poder com Roma, que lhes protegia o *status* de liderança sobre o povo judeu. Eles exerciam esse poder e controle de maneira a criar um rígido sistema de classes que os colocavam no topo, relegando os pobres, os não educados e até os doentes e deficientes ao nível mais baixo. Administravam o sistema de templos visando extrair o dinheiro dos pobres a fim de sustentar seu próprio poder e autoridade. Jesus sabia que precisava apontar a hipocrisia deles para estabelecer sua própria visão do povo escolhido por Deus. O velho paradigma tinha de ser desacreditado e substituído pelo novo.

Se você estudar o relato dos quatro evangelhos, houve apenas dois momentos intensos em que Jesus expressou fúria e ultraje ferrenhos. O primeiro foi quando censurou com raiva os fariseus, chamando-os de "hipócritas", "guias cegos", "raça de víboras", "túmulos pintados de branco" e "filhos do inferno" (ver Mateus 23). Ele não mediu palavras. O segundo momento foi quando expulsou os negociantes do templo, derrubando mesas e bancas e gritando que eles haviam transformado o que era para ser uma casa de orações em um covil de ladrões.

Em ambos os exemplos, é visível que Jesus desafiou a realidade do momento em que o povo escolhido por Deus vivia. Ele pôs na mesa os fatos brutais e inverteu o *status quo* ao revelar o quanto os judeus haviam se afastado do coração de Deus e das intenções de Deus para o povo. Jesus definiu a realidade para o povo judeu ao revelar a corrupção de seus líderes.

No entanto, Jesus também precisava articular um futuro mais desejável e demonstrar um rumo diferente a seguir. Precisava substituir o velho paradigma por um novo. Se o *status quo* era inaceitável, qual era o futuro melhor que Deus desejava que seu povo enxergasse e acolhesse? Jesus expôs essa nova visão de maneira impressionantemente clara e comovente em todos os relatos do evangelho, mas talvez tenha sido no Sermão do Monte que ele foi mais persuasivo. Livros inteiros já foram escritos sobre essa passagem de Mateus, mas permita-me apenas destacar alguns dos elementos que frisam como Jesus utilizou esse ensinamento para substituir os velhos paradigmas por uma nova visão para o povo escolhido de Deus.

Ele começou com as bem-aventuranças: felizes são os pobres de espírito, os humildes, os misericordiosos, os puros de coração, os que choram, os que têm fome e sede de justiça, os perseguidos e os que promovem a paz. É difícil para nós compreender como esses pronunciamentos eram radicais para judeus que viviam no Império Romano sobre a liderança dos fariseus e saduceus. Em essência, Jesus afirmou que todas as pessoas que haviam sido perseguidas, exploradas e excluídas eram agora amadas, valorizadas e incluídas. Aqueles que estavam "por baixo" agora estariam "por cima"; eram estes os considerados felizes por Deus. Jesus projetava a visão de uma nova realidade ao colocar a hierarquia social prevalente de cabeça para baixo.

Em seguida, ele estabeleceu sua legitimidade: "Não pensem que eu vim abolir a lei de Moisés ou os escritos dos profetas; vim cumpri-los" (Mateus 5.17). Jesus confortou a multidão ao assegurar que, sim, a lei e os profetas vinham de Deus, e que ele não havia vindo para invalidá-los, mas para, em vez disso, cumpri-los. Essa era a linguagem messiânica. Era uma espécie de mensagem cifrada que sinalizava que ele talvez fosse o Messias de Deus profetizado que, finalmente, libertaria o povo.

Então, após recitar as bem-aventuranças, Jesus disparou um refrão que reinterpretava e reaplicava por completo as leis referentes a assassinato, adultério, divórcio, juramentos, vingança e amor ao próximo. Isso representou um novo entendimento radical das leis de Deus aplicadas ao coração humano. Em cada caso, ele empregou estas palavras específicas: "Vocês ouviram o que foi dito: [...] Eu, porém, lhes digo que [...]" (Mateus 5.43-45). Percebe como Jesus estava substituindo o legalismo perfunctório dos fariseus com um chamado mais profundo para que cada um pensasse e agisse de modo diferente ao examinar os motivos de seu coração? Era isso que Deus desejava de seu povo, não uma obediência mecânica e sistemática. Era um novo rumo a seguir, uma maneira de internalizar os mandamentos que lhes haviam sido ensinados. Mais uma vez, é difícil para nós imaginar como esse ensinamento era revolucionário para o público do primeiro século.

Em seguida, depois de seis "reinicializações" consecutivas desses veneráveis mandamentos das leis, ele passa a redefinir os conceitos de doação, oração, jejum, preocupação, materialismo e a prática de julgar os outros. Por fim, alerta que as pessoas devem ter cuidado com falsos mestres e termina com a história dos construtores sábios e tolos como forma de resumir tudo que havia acabado de ensinar.

Em 107 versículos contendo cerca de duas mil palavras, Jesus expôs sua visão radicalmente nova de ética, moralidade e do relacionamento entre Deus e a humanidade. Ele havia demonstrado um novo modo de viver em obediência a Deus e em harmonia com as intenções de Deus. É claro, mais tarde, por meio de sua morte e ressurreição, ele abriu o caminho para que esse relacionamento fosse restaurado por completo por meio do perdão dos pecados.

Como as pessoas reunidas lá responderam a essa nova possibilidade? "Quando Jesus acabou de dizer essas coisas, a multidão ficou maravilhada com seu ensino, pois ele ensinava com verdadeira autoridade, diferentemente dos mestres da lei" (Mateus 7.28-29). Jesus havia mostrado de fato às pessoas um futuro melhor e mais esperançoso, e forneceu o ensinamento que as ajudaria a concretizá-lo.

Jesus se apoderou dessa visão com compromisso total. Em todas as suas interações, Jesus modelou esses novos ensinamentos. Ele curou os doentes, devolveu a visão aos cegos, deu ânimo aos desalentados e estendeu a mão àqueles além do círculo estabelecido da vida judaica. Demonstrou em sua vida os valores que defendia: inclusão, compaixão, bondade, generosidade, honestidade, integridade, humildade, oração e perdão. Falou em parábolas que reforçavam e amplificavam esses valores. E nunca abriu mão de sua visão. Por fim, Jesus realizou o sacrifício supremo para liderar seus discípulos de volta ao relacionamento correto com Deus ao ir para a cruz, a fim de que os pecados fossem perdoados de uma vez por todas. Jesus forneceu o exemplo absoluto de um líder elevando o olhar de seu povo para que este enxergasse uma nova e melhor visão e acolhesse uma nova realidade. Jesus estava até mesmo disposto a morrer por eles.

E isso me leva a outro atributo crítico para um líder temente a Deus: a coragem.

11
Coragem
Não tenha medo

ESCRITURAS → "Seja forte e corajoso! Não tenha medo nem desanime, pois o Senhor, seu Deus, estará com você por onde você andar" (Josué 1.9).

PRINCÍPIO DE LIDERANÇA → O líder que demonstra coragem ao enfrentar desafios e decisões difíceis inspira sua equipe a superar seus próprios temores, possibilitando um desempenho melhor e um foco maior nos resultados desejados.

> *Aprendi que coragem não era a ausência de medo, mas o triunfo sobre ele. O homem corajoso não é aquele que não sente medo, mas aquele que o derrota.*
> Nelson Mandela

Ser um líder é difícil. Em alguns aspectos, é muito mais fácil ser um seguidor, deixando as decisões complicadas para outra pessoa. Dessa forma, suas decisões nunca serão criticadas, você nunca precisará arriscar estar errado e não levará a culpa quando uma de suas decisões tiver maus resultados. Risco, culpa e críticas acompanham a liderança. Isso é um fato.

Diz-se que a coragem é o oposto do medo, mas eu discordo. Medo é algo que todos nós sentimos, enquanto coragem é a determinação de superar nossos medos. Como expressa Chae Richardson: "Coragem não é viver sem medo. Coragem é estar morrendo de medo e fazer a coisa certa mesmo assim".[1] Se liderarmos com a orientação de uma bússola moral, essa estrela guia da integridade de que falei num dos capítulos anteriores, é inevitável que enfrentemos situações em que fazer a coisa certa cobre um preço. Isso exigirá coragem.

No capítulo 10, falei sobre o processo de liderar uma organização em direção a um desejado estado futuro ao projetar uma visão motivadora. Porém, liderar em direção ao futuro, que é sempre desconhecido, também gera medo — medo de mudar, medo de tomar o caminho errado, medo do que pode acontecer. E superar esses receios requer coragem da parte do líder. Mesmo que o líder compartilhe alguns desses mesmos medos, ele deve ser capaz de administrá-los de forma a instilar confiança no resto da equipe. Billy Graham afirmou certa vez: "A coragem é contagiosa. Quando um homem corajoso toma uma atitude, a espinha dos outros muitas vezes se endurece".[2]

Medo do vírus do juízo final

Em minha primeira viagem ao exterior como o novo presidente da Visão Mundial, deparei com a pandemia da AIDS. E o que vi me deixou com medo. Eu a testemunhei pela primeira vez na vida de três meninos órfãos que viviam sozinhos em sua cabana de barro depois que ambos os pais morreram de AIDS. Para um homem que, sessenta dias antes, vendia louças finas aos ricos e nunca havia estado na África, foi algo ao mesmo tempo chocante e angustiante. A AIDS era uma doença assustadora que penetrava sorrateiramente de aldeia em aldeia boa parte da África subsariana, matando homens e mulheres na flor da idade e deixando milhões de crianças órfãs. Se a pessoa fosse infectada, a doença era quase 100% fatal. Mais tarde, eu a descrevi como o "vírus do dia do juízo final", o tipo de coisa que se encontra em filmes de desastres apocalípticos. O surto global do coronavírus em 2020 ofereceu aos Estados Unidos e a outros países desenvolvidos uma ideia melhor do medo e do sofrimento que a África vivenciou durante o pico da crise da AIDS.

Entretanto, no fim da década de 1990, de volta aos Estados Unidos, ninguém parecia estar falando sobre a AIDS na África ou mesmo parecia ter consciência do que estava acontecendo. Até certo ponto, isso incluía meus colegas da Visão Mundial. O fato é que a AIDS era profundamente estigmatizada e politizada na época. Os cristãos a viam como o resultado direto da imoralidade, e alguns até acreditavam que a doença era a punição de Deus sobre aqueles que haviam cometido pecados sexuais. Poucos entendiam como ela estava devastando a África, com maridos infectando esposas, e mães infectando os filhos na hora do parto.

Voltei daquela viagem convencido de que a Visão Mundial precisava lidar com essa questão da AIDS e encontrar uma maneira de levar ajuda. Precisávamos ajudar os infectados, as crianças órfãs deixadas para trás, e as avós que agora cuidavam dos netos. E para realizar isso, a Visão Mundial teria de arrecadar muito dinheiro de nossos doadores e participantes de programas de apadrinhamento de crianças. Contudo, primeiro teríamos de superar nossos próprios temores.

Quando convoquei uma reunião e expus minhas intenções à equipe de liderança, senti o nervosismo na sala. Em vez de ser recebido com um coro de entusiasmo, percebi que minha equipe se entreolhava com medo e desconforto. Aqueles olhares me revelaram o que estavam pensando: "Como diremos ao novato que ele não pode entrar nessa?". Por fim, o vice-presidente de *marketing* respondeu: "Rich, a Visão Mundial é um ministério 'livre para todos os públicos', e essa é uma questão 'para maiores de 18 anos'. Nossos doadores e parceiros na igreja nunca apoiarão isso. É controverso demais. E se 'entrarmos nessa', nossa reputação será prejudicada". Pronto, ele havia posto o problema em palavras.

Não me recordo de toda a discussão que tivemos naquele dia, mas, depois de escutar os vários pontos de vista expressados naquela sala, tomei uma decisão. Ao fim de nossa reunião, afirmei algo nesta linha: "Vocês têm razão quanto a esta ser uma questão controversa e uma batalha árdua. Mas acredito que muitos de nossos doadores e parceiros na igreja estejam errados quanto a isso. Precisamos educá-los sobre o que essa doença está fazendo com as pessoas na África, em especial com as crianças. Uma vez que saibam a verdade, creio que mudarão de ideia e nos apoiarão. E se não lhes mostrarmos que estão errados quanto a isso, quem o fará? Deus nos concedeu um assento na primeira fila para o sofrimento humano que a AIDS está causando, e Deus nos ajude se não nos manifestarmos. Este é o nosso 'momento de Ester', e acredito que Deus retirará as bênçãos que depositou sobre a Visão Mundial se não fizermos a coisa certa num momento como este. Por isso, sim, vamos 'entrar nessa'".

Concordei que primeiro realizaríamos uma pesquisa de *marketing* para testar a questão com o público cristão a fim de ver quanta resistência era provável que encontraríamos, e os resultados foram ainda piores do que o previsto. Fizemos a uma grande amostra de cristãos evangélicos a seguinte pergunta: "Você estaria disposto a doar dinheiro a uma organização cristã de boa reputação a fim de ajudar as crianças que ficaram órfãs por causa da AIDS?". Esta me parecia ter uma resposta óbvia — é claro que eles ajudariam as crianças. Então, porém, recebemos os resultados: apenas 3% dos evangélicos responderam que com certeza estavam dispostos a ajudar; 52% afirmaram que provavelmente ou absolutamente *não* ajudariam![3]

A reação dos cristãos ao tema da AIDS era, mesmo em se tratando apenas de crianças inocentes, muito mais visceral do que eu havia imaginado. Quase todas as outras camadas demográficas que pesquisamos, inclusive os não cristãos, demonstraram disposição maior para ajudar. Tínhamos muito trabalho pela frente. Contudo, àquela altura, minha equipe estava começando a se unir em defesa da causa. Não era uma ação conveniente para a Visão Mundial, mas era a coisa certa a fazer. E nos anos seguintes, posicionamos nossa resposta à pandemia da AIDS no centro de nosso alvo estratégico.

Uma campanha chamada esperança

Demos à nossa nova campanha o nome de Iniciativa Esperança e a lançamos em nossa principal conferência anual de doadores na cidade de Nova York, sabendo que precisávamos primeiro convencer nossos maiores apoiadores da legitimidade de nossa causa. Em vez de nos concentrarmos naqueles que haviam contraído o vírus HIV, nós nos focamos em "cuidar dos órfãos e das viúvas em suas dificuldades", uma citação direta de Tiago 1.27. Sabíamos que encontraríamos mais simpatia pelas viúvas e crianças deixadas para trás do que pelos homens que haviam espalhado o vírus. Enfatizamos tanto o auxílio a essas viúvas e órfãos como também a prevenção à AIDS por meio do ensino da abstinência e da fidelidade ao cônjuge. Formamos fortes parcerias com pastores e igrejas africanos, julgando-os cruciais para que chegássemos a uma solução. Trouxemos pastores da África e até mesmo crianças que haviam sido deixadas órfãs pela AIDS para que contassem suas histórias pessoalmente em nossa conferência de doadores.

A seguir, lançamos um novo tipo de apadrinhamento de crianças chamado Infância com Esperança, para apoiar em específico órfãos e crianças vulneráveis afetadas pela AIDS. E começamos uma turnê por dezoito cidades para levarmos nossa mensagem a pessoas e igrejas dos Estados Unidos — pregando, organizando eventos para arrecadação de doações, e conversando com a mídia para aumentar a conscientização sobre o problema. Não é exagero dizer que nossa resposta à AIDS e nosso desafio aos cristãos americanos consumiu a Visão Mundial por boa parte dos cinco anos seguintes.

Enfrentamos críticas veementes de alguns líderes e organizações cristãs que nos rotularam como "liberais" e se opuseram publicamente a nossos esforços. Alguns não queriam ter nada a ver com o assunto, por envolver ajuda a pessoas que haviam cometido pecados sexuais. Tivemos de enfrentar algumas turbulências poderosas. Entretanto, permanecemos resolutos em nossa determinação de demonstrar o amor de Cristo a comunidades que haviam sido devastadas por essa doença.

Embora aqui não seja o lugar para contar a história completa da resposta da Visão Mundial, o resultado final é que conseguimos inverter a maré da opinião pública (cristã) em torno dessa questão. É claro que não éramos as únicas vozes em defesa dessa causa. Outras organizações e líderes se manifestaram também. Muitas de nossas igrejas parceiras acolheram a causa e enviaram delegações à África para observar, aprender e ajudar. Centenas de milhares de crianças da iniciativa Infância com Esperança foram beneficiadas, e centenas de milhões de dólares foram arrecadadas. Ajudamos até a influenciar o Congresso para aprovar, numa votação bipartidária, a iniciativa PEPFAR (da sigla em inglês para Plano de Emergência do Presidente para o Combate à AIDS) do presidente Bush, o maior programa de assistência a países estrangeiros desde o Plano Marshall, que ajudou a reconstruir a Europa depois da Segunda Guerra Mundial.

Depois de cinco anos exaustivos de campanha, a Visão Mundial havia desempenhado um papel significativo na mudança de atitude dos cristãos em relação à AIDS e ajudado milhões de homens, mulheres e crianças em toda a África. Não apenas isso não prejudicou nossa reputação, mas a melhorou. Nossos apoiadores passaram a nos ver cada vez mais como a organização que aceitaria os desafios mais árduos a fim de ajudar as pessoas em situação mais desesperadora no planeta.

No entanto, tudo havia começado com medo: medo de alienar doadores e parceiros, medo de prejudicar nossa reputação, medo de encarar a própria AIDS, medo do fracasso, e até mesmo medo do que outros diriam sobre nós. E para superar esse medo, precisamos de coragem.

Você quer que eu faça o quê?

Para o cristão, o oposto do medo não é a coragem, mas a fé. Se acreditarmos que estamos fazendo a coisa certa, se acreditarmos que estamos realizando algo próximo ao coração de Deus, poderemos contar com o apoio dele. Podemos confiar que Deus nos trará os resultados. Nossa fé leva à confiança, e a confiança desperta a coragem. Há nas Escrituras muitas histórias impressionantes de coragem que emana da fé.

Moisés oferece um grande exemplo tanto de medo como de coragem. Deus ordenou que Moisés se aproximasse do homem mais poderoso no mundo, o faraó, e exigisse que ele libertasse todos os seus escravos israelitas, que somavam muitas centenas de milhares de homens, mulheres e crianças. Para Moisés, aquilo soava como uma missão suicida. E por vários capítulos do Êxodo, lemos uma conversa fascinante entre Deus e Moisés. Moisés não quer saber daquilo. Ele se queixa e choraminga, e oferece mil pretextos para tentar convencer Deus de que é o homem errado. Moisés está com medo. Em contrapartida, Deus argumenta com Moisés e promete que o acompanhará e o protegerá. Depois de muitos versículos de diálogo, a conversa culmina com estas palavras:

> Para o cristão, o oposto do medo não é a coragem, mas a fé.

> Moisés, porém, disse ao Senhor: "Ó Senhor, não tenho facilidade para falar, nem antes, nem agora que falaste com teu servo! Não consigo me expressar e me atrapalho com as palavras".
>
> O Senhor perguntou a Moisés: "Quem forma a boca do ser humano? Quem torna o homem mudo ou surdo? Quem o torna cego ou o faz ver? Por acaso não sou eu, o Senhor? Agora vá! Eu estarei com você quando falar e o instruirei a respeito do que deve dizer".
>
> "Por favor, Senhor!", suplicou Moisés. "Envia qualquer outra pessoa!"
>
> Então o Senhor se irou com Moisés.
>
> Êxodo 4.10-14

"Por favor, envia qualquer outra pessoa." Você já temeu tanto assim fazer algo? Creio que todos nós somos capazes de nos identificar com o medo de Moisés. Deus está lhe pedindo que realize algo que soa insano. Cumprir o que Deus está pedindo exigirá imensa coragem. Porém, Deus está tentando explicar a Moisés que este precisa de fé, não de coragem; fé em que Deus o acompanhará, o protegerá e produzirá o resultado desejado. Ele está pedindo tão somente que Moisés confie nele. E, é claro, sabemos que Moisés acabará, mesmo que com relutância, superando o medo, obedecendo a Deus e se tornando um dos maiores heróis do Antigo Testamento. No entanto, tudo começou com o medo — medo bruto e aterrorizante. No fim de tudo, foi sua fé que superou o medo e gerou a coragem de que ele precisava. Pode-se confiar em Deus.

Quarenta anos mais tarde, depois que liderou os israelitas pelo deserto até o limiar da Terra Prometida, Moisés morreu, e Josué foi nomeado por Deus como o novo líder de seu povo — aquele que finalmente guiaria os israelitas para dentro da terra que Deus havia prometido. Josué teve a tarefa difícil tanto de substituir o grande Moisés como de liderar a operação militar necessária para proteger a terra. Foi outro momento de verdadeiro medo. Por isso Deus tem uma importante conversa com Josué semelhante à que havia tido com Moisés muitos anos antes:

> A fé nos permite colocar o medo em perspectiva.

> Depois que Moisés, servo do SENHOR, morreu, o SENHOR disse a Josué, filho de Num, auxiliar de Moisés: "Meu servo Moisés está morto; chegou a hora de você conduzir todo este povo, os israelitas, para atravessar o rio Jordão e entrar na terra que eu lhes dou. Eu darei a vocês todo o lugar em que pisarem, conforme prometi a Moisés, desde o deserto do Neguebe, ao sul, até os montes do Líbano, ao norte; desde o rio Eufrates, a leste, até o mar Mediterrâneo, a oeste, incluindo toda a terra dos hititas. Enquanto você viver, ninguém será capaz de lhe resistir, *pois eu estarei com você, assim como estive com Moisés. Não o deixarei nem o abandonarei. Seja forte e corajoso*, pois você conduzirá este povo para tomar posse da terra que jurei dar a seus antepassados".
>
> Josué 1.1-6

Ele conclui seu discurso "motivacional" a Josué reafirmando sua promessa: "Esta é minha ordem: *Seja forte e corajoso! Não tenha medo nem desanime, pois o* SENHOR, *seu Deus, estará com você por onde você andar*" (Josué 1.9).

Percebe como Deus argumenta com Josué assim como fez com Moisés? Ele promete que estará com Josué — que nunca o deixará ou abandonará — e depois lhe pede que seja "forte e corajoso". Em outras palavras, se Josué tiver fé nas promessas de Deus, isso despertará sua coragem. A fé aguça a coragem.

No decorrer de minha carreira, não foram poucas as vezes que senti medo: medo de tomar uma grande decisão, medo de mudar de emprego, medo de perder o emprego, medo do que os outros pensariam de mim, medo de fazer a coisa errada, medo do fracasso, medo do sucesso. E esses são apenas alguns de meus medos relacionados ao trabalho. A lista se alonga quando acrescento itens como saúde, finanças, casamento, filhos e família. O medo é uma emoção comum entre os humanos. Entretanto, a fé nos permite colocar o medo em perspectiva.

Perspectiva é tudo

Você já gravou um evento esportivo envolvendo seu time ou jogador favorito e, terminado o jogo, assistiu posteriormente à gravação? Se você já sabe que seu time venceu, é extraordinário como essa perspectiva lhe permite assistir ao jogo com calma e objetividade. Contudo, se você não sabe quem venceu, cada jogada produz ansiedade e abala os nervos.

Como cristãos, sabemos como o jogo termina, e sabemos que nosso time vencerá. Sim, em nossa vida haverá obstáculos e jogadas ruins, e quem sabe até algumas lesões ao longo do caminho. Talvez até nos vejamos perdendo de dois gols no primeiro tempo, mas conhecemos o panorama maior; sabemos o placar final. Só precisamos ter fé e confiar em Deus. Lembre-se: "Coragem não é viver sem medo. Coragem é estar morrendo de medo e fazer a coisa certa mesmo assim". Só precisamos continuar fazendo a coisa certa, quaisquer que sejam as consequências, e confiar que Deus trará os resultados. Isso é coragem. A fé produz a confiança, e a confiança desperta a coragem. Temos o apoio de Deus.

Logo antes de ir à cruz, Jesus conversou com os discípulos para prepará-los e encorajá-los. Ele sabia das perseguições e adversidades que eles enfrentariam depois que os deixasse. As palavras que lhes ofereceu também devem nos encorajar. "Eu lhes deixo um presente, a minha plena paz. E essa paz que eu lhes dou é um presente que o mundo não pode dar. Portanto, não se aflijam nem tenham medo" (João 14.27). "Eu lhes falei tudo isso para que tenham paz em mim. Aqui no mundo vocês terão aflições, mas animem-se, pois eu venci o mundo" (João 16.33).

12
Generosidade
(Ausência de ganância)
O efeito tóxico do dinheiro

ESCRITURAS ➔ "Mas aqueles que desejam enriquecer caem em tentações e armadilhas e em muitos desejos tolos e nocivos, que os levam à ruína e destruição. Pois o amor ao dinheiro é a raiz de todo mal. E alguns, por tanto desejarem dinheiro, desviaram-se da fé e afligiram a si mesmos com muitos sofrimentos. Você, porém, que é um homem de Deus, fuja de todas essas coisas más. Busque a justiça, a devoção e também a fé, o amor, a perseverança e a mansidão" (1Timóteo 6.9-11).

PRINCÍPIO DE LIDERANÇA ➔ O dinheiro e a busca do dinheiro podem ser corrosivos. O líder que trata o dinheiro como um meio para chegar a um fim em vez de um fim em si consegue erguer o olhar de sua equipe para o propósito mais elevado de seu trabalho.

O dinheiro é um mestre terrível, mas um servo excelente.
P. T. BARNUM

Quando começamos a nos impressionar demais com os resultados de nosso trabalho, aos poucos chegamos à convicção errônea de que a vida é um grande placar, onde alguém marca os pontos que medem nosso valor. E antes que tenhamos plena consciência disso, vendemos a alma aos muitos marcadores de pontos.
HENRI NOUWEN

Falemos sobre dinheiro. É simplesmente impossível falar sobre liderança sem discutir a influência profunda do dinheiro sobre os líderes, as pessoas que estes gerenciam e as instituições que lideram. O amor pelo dinheiro, ou a ganância, pode ser um câncer em nossa vida e no local de trabalho. Eu queria dar a esse atributo de liderança o nome de "ausência de ganância", mas, por ficar muito comprido, escolhi "generosidade" como a virtude de liderança que se contrapõe à ganância, pois um líder caracterizado pela generosidade é uma pessoa que encara o dinheiro como uma ferramenta, não como um ídolo.

Lidar com o dinheiro em nossa vida pessoal e profissional é inevitável. Todos precisamos de certa quantia de dinheiro a fim de fornecer os itens básicos à nossa vida e à nossa família. Corporações, escolas, governos e organizações sem fins lucrativos precisam se concentrar nos resultados financeiros a fim de medir seu desempenho e satisfazer seus constituintes. Nesse sentido, o dinheiro serve como um dos principais sinais de vida de que nossa família e nossos funcionários desfrutam de boa saúde — assim como nosso batimento cardíaco e pressão sanguínea o fazem por nossa saúde física. As Escrituras estão certas ao afirmarem que o dinheiro em si não é o problema, mas sim o amor ao dinheiro. É nosso relacionamento com o dinheiro que carrega o potencial de prejudicar nossa vida e a vida de todos ao redor se não tomarmos cuidado.

Minha esposa, Renée, sempre manteve um relacionamento saudável com o dinheiro. Pela maior parte de minha carreira, ela não fazia ideia de quanto eu recebia, pois isso não era importante para ela. Diversas vezes desde que nos casamos ela me resgatou de minha própria propensão a deixar que o dinheiro toldasse meu discernimento. Certa vez, quando ainda trabalhava na Lenox, recebi de outra empresa a oferta de um emprego com maior remuneração e sofri para decidir se deveria aceitá-la. Quando discuti a questão com Renée, ela ajudou a colocar a questão em perspectiva: "O dinheiro é um péssimo motivo para fazer qualquer coisa", afirmou ela. "O que você faria se removesse o dinheiro da equação? De qual trabalho você gosta mais? Para qual empresa preferiria trabalhar? Como se sentirá deixando seus colegas de trabalho e relacionamentos para trás?" E é claro que ela acrescentou: "Você já orou para buscar a vontade de Deus sobre essa questão?". Depois de analisar a oferta por essa perspectiva, recusei o trabalho com maior remuneração.

Quando minha filha Grace estava pensando em mudar de emprego, compartilhei com ela essa perspectiva sobre o dinheiro, e ela replicou, com muita razão, que apenas pessoas com dinheiro suficiente têm condições de afirmar que o dinheiro é um péssimo motivo para fazer qualquer coisa. Para muitas pessoas, o dinheiro precisa ser um fator na tomada de decisões por causa da realidade financeira opressiva que enfrentam. Se você não é capaz de pagar o aluguel e alimentar sua família, é claro que deve considerar o aspecto financeiro em sua tomada de decisão. Tendo de pagar um aluguel bem caro em Nova York, Grace aceitou o emprego de maior remuneração. Mesmo assim, o princípio se mantém: o dinheiro não deveria ser sua única consideração.

Anos depois de eu ter recusado aquela oferta de emprego com maior remuneração, quando Renée e eu estávamos debatendo se eu deveria desistir de minha carreira corporativa para me juntar à Visão Mundial, introduzi na discussão a bomba de que aquilo significaria um corte de 75% em meu salário. Tínhamos a faculdade de cinco filhos para pagar, por isso pensei que essa realidade talvez a levasse a parar e considerar as implicações financeiras. A resposta dela? Você acertou: "O dinheiro é um péssimo motivo para fazer qualquer coisa", repetiu ela, e acrescentou: "Precisamos estar onde Deus quer que estejamos e confiar que ele cuidará de nós. Se é para lá que Deus está nos chamando, precisamos ir". Visão Mundial, aqui vamos nós! E em todos esses anos desde que nos casamos, Renée tem sempre sido aquela a nos encorajar a doar mais de nosso dinheiro a causas merecedoras e a pessoas em necessidade. Para ela, o dinheiro é apenas uma ferramenta a ser utilizada para fazer o bem, e ela sempre confia que Deus nos proverá se formos fiéis com nosso dinheiro. Assim é que se mantém um relacionamento saudável com o dinheiro na vida pessoal. E quanto à vida profissional?

Quando o dinheiro se torna tóxico

A busca pelo dinheiro pode levar a todo tipo de consequências não intencionais onde trabalhamos. A missão humana quase universal por mais dinheiro e maior fortuna contagia quase todas as organizações no planeta. O amor pelo dinheiro, assim como a caça ao sucesso, é como um vazamento de monóxido de carbono em casa: você não o enxerga, nem sente o cheiro ou o gosto, mas ele pode envenená-lo se você não tomar cuidado.

Pare e pense por um momento sobre a influência disseminada do dinheiro em seu local de trabalho. Todos nós somos pagos com dinheiro. Ele é utilizado como um indicador do seu valor como funcionário, com os mais "valiosos" recebendo mais do que os menos valiosos. Os sistemas de incentivo quase sempre envolvem dinheiro. Demonstre um bom desempenho e você receberá mais; se seu desempenho for fraco, você receberá menos.

O dinheiro cria sentimentos de inveja e desigualdades em nosso local de trabalho, e os que recebem menos muitas vezes se ressentem daqueles que recebem mais. O dinheiro é como gasolina no incêndio da política de escritório, motivando algumas pessoas a assumir posturas e realizar manobras de forma a se colocarem na melhor posição para obter mais dinheiro do que os colegas. O dinheiro leva algumas pessoas a mentir ou falsificar resultados. O dinheiro também motiva roubos, fraudes ou até mesmo trapaças nos relatórios de gastos. E como se isso não bastasse, o dinheiro é o motivo por trás de uma enorme porcentagem de todos os crimes cometidos no mundo. O dinheiro é algo necessário, mas perigoso, que deve ser manejado com cuidado. Mais uma vez, embora o dinheiro seja uma ferramenta essencial, é também uma "droga" com muitos efeitos colaterais adversos.

> O dinheiro é algo necessário, mas perigoso, que deve ser manejado com cuidado.

No entanto, talvez mais prejudicial do que tudo acima seja que *o dinheiro às vezes substitui o propósito* em uma organização. Permita-me repetir: o dinheiro às vezes substitui o propósito. Steve Jobs, cofundador da Apple, opinou sobre o dinheiro: "O objetivo da Apple não é ganhar dinheiro. Nosso objetivo é conceber, desenvolver e levar ao mercado bons produtos [...]. Temos confiança em que, como consequência disso, as pessoas apreciarão os produtos e, como outra consequência, ganharemos dinheiro. Mas temos muita clareza de quais são nossos objetivos".[1]

Não é interessante que o criador de uma das empresas mais bem-sucedidas da história tenha declarado que seu objetivo não era ganhar dinheiro? Steve Jobs entendia que o dinheiro não é substituto para o propósito. A Apple se tornou uma grande empresa porque se concentrou em seu propósito mais elevado de conceber e desenvolver produtos fenomenais. O dinheiro pode se tornar um falso propósito que se infiltra numa organização e, com o passar do tempo, substitui o propósito mais elevado. A princípio, talvez não se note e a empresa continue a demonstrar um bom desempenho. Porém, depois de algum tempo, se um propósito mais elevado não for proposto por seus líderes, a empresa se tornará apenas um organismo hospedeiro para aqueles que quiserem extrair dinheiro dela. E as pessoas que nela trabalham se tornarão apenas peões no tabuleiro, um meio para o fim de obter salários e bônus maiores para executivos e acionistas. Quando tal situação é levada ao extremo, organizações como essa se tornam uma ameaça à sociedade.

Infelizmente, há exemplos demais de empresas que colocaram o dinheiro e o lucro acima do bem maior. Recordemos aquelas empresas farmacêuticas que venderam e promoveram medicações à base de opioides para o alívio da dor. O que começou como um propósito positivo e até nobre — ajudar as pessoas a lidar com a dor médica — acabou por gerar uma crise de dependência em todo o país, à medida que executivos gananciosos forçaram a promoção e venda de mais pílulas até mesmo quando sabiam que o acesso disseminado e descontrolado a essas drogas estava levando dezenas de milhares de clientes ao vício e até mesmo à morte. O dinheiro havia substituído o propósito, e os resultados foram devastadores.[2]

As melhores organizações erguem o olhar de seus funcionários e acionistas para um propósito e significado mais elevado. Como mencionei antes, algo que notei assim que me transferi do mundo pró-lucro para a Visão Mundial foi a norma cultural diferente em torno do dinheiro. Quando eu trabalhava na Lenox, o dinheiro era um fator relevante em todas as questões. Como na maioria das corporações, havia programas complexos de bônus baseados numa variedade de indicadores de desempenho, e programas para altos executivos envolvendo a opção de receber ações. Quanto mais alta fosse sua posição no organograma, maior seria o bônus, calculado a partir de uma porcentagem de seu salário base. Receber um bônus e maximizá-lo se tornou uma obsessão. E era previsível que, além de motivar alguns comportamentos corretos, isso também motivasse muitos comportamentos errados.

> As melhores organizações erguem o olhar de seus funcionários e acionistas para um propósito e significado mais elevado.

Uma das coisas que tentei fazer para mitigar essa cultura do dinheiro na Lenox foi redirecionar o foco da organização para seus valores essenciais e propósito mais elevado. Trabalhamos por meses criando uma declaração de princípios que oferecesse aos funcionários uma sensação maior de orgulho no que realizavam. Você agora talvez se pergunte como a declaração de princípios de uma empresa centenária de louças e cristais poderia ser inspiradora. Isto foi ao que chegamos: "Enriquecendo a vida das pessoas por meio de produtos belamente concebidos e manufaturados". Entenda, não estávamos apenas vendendo pratos, estávamos enriquecendo vidas. Os produtos da Lenox desempenhavam um papel em casamentos, aniversários, aniversários de casamento e refeições de Natal, Páscoa e outros feriados. Nossos produtos estavam presentes na maioria das ocasiões significativas da vida das pessoas. E erguer o olhar de nossos funcionários para esse propósito mais elevado lhes ofereceu uma sensação renovada de orgulho pela empresa. E como na Apple, se mantivéssemos os funcionários concentrados em criar "produtos belamente concebidos e manufaturados", as pessoas comprariam esses produtos e nós todos ganharíamos algum dinheiro. Entretanto, o dinheiro não era nosso propósito.

Encontrei uma cultura completamente diferente na Visão Mundial. Por ser um ministério cristão sem fins lucrativos, não havia nenhum bônus, e as pessoas trabalhavam por muito menos dinheiro do que teriam ganhado em qualquer outro lugar. Na realidade, quanto mais alto você estivesse no organograma, maior era o desconto em seu salário em relação ao valor de mercado. Os altos executivos recebiam entre 50% e 75% a menos do que receberiam no mundo das empresas com fins lucrativos. Era como trabalhar em um local que falasse um idioma diferente. No entanto, o que era surpreendente sobre essa cultura sem obsessão pelo dinheiro era que as pessoas estavam lá porque acreditavam na causa — o propósito mais elevado que mencionei antes. A missão de ajudar os pobres em nome de Cristo era incrivelmente motivadora. Mais de um vice-presidente me pediu que eu *não lhe desse um aumento*, pois não queria um! Sim, é isso mesmo que você leu. Lembro-me de negociar com um candidato para a posição de diretor financeiro da Visão Mundial que afirmou que só aceitaria o emprego se eu não lhe pagasse nenhum salário! Eu o informei de que precisava pagar um salário, mas que ele poderia fazer o que quisesse com o dinheiro. Ele então indagou se eu poderia pagar o menor salário possível para aquela posição. Eu o contratei, e acredito que ele doou aquele salário (e mais) de volta à organização todos os anos em que trabalhou lá.

Quando escrevi meu primeiro livro, *A grande lacuna*, percebi que eu receberia pelos direitos autorais a cada livro vendido. Muitos de meus filhos estavam na faculdade na época, e o dinheiro a mais teria sido útil. Porém, eu me digladiei com a ideia de receber dinheiro por escrever um livro sobre o flagelo dos pobres. Também senti que seria um conflito de interesses, pois a Visão Mundial tinha a intenção de promover o livro como uma ferramenta ministerial entre nossos doadores e parceiros da igreja. Não parecia certo que eu, como líder, lucrasse com isso. Dessa forma, tomei a decisão de que o valor referente aos direitos autorais do livro iria direto para as obras da Visão Mundial. A editora chegou a ter dificuldades para redigir o contrato, pois era a primeira vez que um de seus autores recusava o recebimento dos direitos autorais. Nos anos seguintes, muitos milhões de dólares em pagamentos de direitos autorais foram para o ministério da Visão Mundial.

Você talvez diga: "Esse é um ministério cristão, e as pessoas lá trabalham para servir a Deus". Bem, esta é a questão: o local onde você trabalha é seu local de ministério cristão, e você também foi colocado lá para servir a Deus. Desse modo, esses mesmos princípios se aplicam a você: o dinheiro não é seu propósito para estar lá; o ministério é que é. Sua "única função" é ser um embaixador de Cristo no local em que você vive e trabalha, e você precisa ter cuidado para não permitir que sua busca pessoal por dinheiro substitua esse propósito que lhe foi dado por Deus. Para o líder cristão, ter a perspectiva correta sobre o dinheiro é crucial.

Você não pode servir dois mestres

O que as Escrituras têm a dizer sobre tudo isso? Muita coisa. Considere estas estatísticas:

- Dezesseis das 38 parábolas de Jesus tratam de dinheiro.
- Há 2.350 versículos sobre dinheiro e posses na Bíblia, e apenas 500 sobre fé e oração.[3]
- Um em cada sete versículos dos evangelhos trata de dinheiro.[4]

Você entendeu a ideia. Deus considera nosso relacionamento com o dinheiro de importância fundamental.

Jesus avisou: "Ninguém pode servir a dois senhores, pois odiará um e amará o outro; será dedicado a um e desprezará o outro. Vocês não podem servir a Deus e ao dinheiro" (Mateus 6.24). Ele fala do conflito inevitável entre esses dois mestres possíveis. É um alerta. O fascínio pelo dinheiro e pela fortuna material pode se tornar tão poderoso a ponto de competir com Deus pela primazia em nossa vida. De maneira insidiosa, nossa ambição por mais riquezas se torna nosso mestre ao excluir os propósitos de Deus para nossa vida e substituir Deus como a fonte de nossa segurança e identidade. Paulo explica o perigo que o dinheiro representa de forma ainda mais explícita:

Mas aqueles que desejam enriquecer caem em tentações e armadilhas e em muitos desejos tolos e nocivos, que os levam à ruína e destruição. Pois o amor ao dinheiro é a raiz de todo mal. E alguns, por tanto desejarem dinheiro, desviaram-se da fé e afligiram a si mesmos com muitos sofrimentos.

Você, porém, que é um homem de Deus, fuja de todas essas coisas más. Busque a justiça, a devoção e também a fé, o amor, a perseverança e a mansidão.

1Timóteo 6.9-11

Note que o *desejo de enriquecer*, e não a riqueza em si, é a tentação que leva a uma armadilha, que pode nos lançar "à ruína e destruição", nos desviar de nossa fé em Deus e "nos afligir" com "muitos sofrimentos". Muitas passagens bíblicas sobre o dinheiro são como sinais vermelhos piscando com a palavra *alerta*! E o que Paulo sugere que Timóteo faça para evitar essa armadilha? "Fuja de todas essas coisas más. Busque a justiça, a devoção e também a fé, o amor, a perseverança e a mansidão." Paulo encoraja Timóteo a fugir desse amor pelo dinheiro e, em vez disso, buscar os valores cristãos — em outras palavras, um caráter piedoso. Se acreditarmos na mentira de que o dinheiro é a forma de marcarmos pontos no jogo da vida, o verdadeiro propósito de nossa vida e trabalho será substituído pela necessidade de ganhar cada vez mais dinheiro. Não podemos servir a ambos os mestres.

> O dinheiro é seu servo, não seu mestre.

Como líder em seu local de trabalho, você tem a oportunidade de ser alguém que não é "dominado" pelo dinheiro. Você pode colocar o bem-estar das pessoas acima do dinheiro. Pode focar seus esforços e os de sua equipe em valores mais elevados, como a excelência, a integridade, a perseverança e o empenho, e criar um local de trabalho que permita que as pessoas prosperem ao se concentrarem na missão da organização, não apenas na própria remuneração. Mostre-lhes que o dinheiro é seu servo, não seu senhor. Afinal, o dinheiro é um péssimo motivo para fazer qualquer coisa.

13
Perdão
Sinto muito

ESCRITURAS → "Sejam bondosos e tenham compaixão uns dos outros, perdoando-se como Deus os perdoou em Cristo" (Efésios 4.32).

"Se afirmamos que não temos pecados, enganamos a nós mesmos e não vivemos na verdade" (1João 1.8).

PRINCÍPIO DE LIDERANÇA → Pedir desculpas e perdoar curam os relacionamentos rompidos e promovem a saúde da organização. O líder precisa modelar o perdão no local de trabalho tanto ao oferecê-lo como ao solicitá-lo.

> *O perdão não é um ato ocasional, mas uma atitude constante.*
> MARTIN LUTHER KING JR.

O perdão é um elemento central da história cristã. O pecado surge pela primeira vez, com toda a sua feiura, no início de Gênesis, quando Adão e Eva desobedecem a Deus no jardim do Éden. E desde aquele momento, o drama da história humana tem sido uma nevasca trágica de mentiras, egoísmo, ganância, violência, racismo, exploração, pobreza e injustiça. Felizmente, também há uma boa dose de bondade, decência e compaixão a ser encontrada em nosso mundo. Entretanto, embora *pecado* soe como uma palavra obsoleta no mundo de hoje, ele está no cerne dos relacionamentos rompidos e de toda forma de disfunção humana, inclusive nos locais onde trabalhamos e servimos. Todas as Escrituras relatam, porém, a história dos esforços de Deus para nos oferecer seu perdão, em última instância por meio da morte e ressurreição de seu Filho, Jesus Cristo. Nosso Deus é como o pai em Lucas 15, esperando para perdoar e acolher o filho pródigo que o traiu e desperdiçou sua herança.

No âmago de nossa fé está o conhecimento de que somos pessoas quebrantadas, incapazes de restaurar nosso relacionamento com Deus ou entre nós mesmos apenas por meio de nossos esforços. E essa admissão de nosso quebrantamento é fundamental para entender e navegar nosso relacionamento com Deus e com aqueles à nossa volta — inclusive no local de trabalho.

Nosso relacionamento vertical com Deus só pode ser restaurado quando nos arrependemos de nossos pecados e aceitamos o perdão de Deus, o que se tornou possível graças à morte expiatória de Cristo. O processo funciona deste modo: *pecado > arrependimento > perdão > restauração*. Por meio do arrependimento e do perdão, aquilo que foi fragmentado se torna inteiro mais uma vez. É restaurado. A maneira como Deus modela o perdão e a restauração também transforma os relacionamentos horizontais que mantemos com a família, os amigos, o cônjuge, os colegas de trabalho e até os inimigos. Esses relacionamentos humanos sempre manifestam algum grau de fragmentação por causa de nossa natureza pecadora.

Entre um casal, por exemplo, o arrependimento e o perdão são cruciais para a manutenção de um relacionamento saudável e amoroso. É inevitável que, quando duas pessoas moram juntas em um espaço restrito, haja fricções, conflitos e mágoas. Sem arrependimento e perdão constantes, as cicatrizes podem se acumular até que o relacionamento entre em crise, do mesmo modo que o acúmulo de colesterol nas artérias levará a problemas de saúde. As duas palavras mais poderosas no relacionamento de um casal são "sinto muito". Quando admitimos que nossas palavras e ações causaram dor e nos arrependemos, desanuviamos o ar e restauramos a saúde e o equilíbrio do casamento. Precisamos aprender a perdoar os outros como Cristo nos perdoou.

Perdão no trabalho

Da mesma maneira, os líderes devem agir com base no conhecimento de que também são pessoas quebrantadas e imperfeitas, que precisam do perdão e que se dispõem a perdoar os outros. Entretanto, o que tenho observado é que todo o conceito de arrependimento e perdão quase nunca é invocado no local de trabalho. No decorrer normal das interações humanas no local de trabalho, assim como no relacionamento de um casal, as pessoas dizem e fazem coisas que geram mágoas, e cometem erros que afetam aqueles ao redor. É raro, porém, que estas palavras simples e poderosas, "sinto muito", sejam enunciadas. Ainda mais raro é que sejam ditas pelos líderes, talvez porque o ato de se desculpar e perdoar requer que os líderes se mostrem vulneráveis e reconheçam suas falhas, algo que gera desconforto para muitos deles.

Como mencionei no capítulo 9, o efeito cumulativo de palavras impensadas e gestos de desrespeito no escritório pode incapacitar uma organização à medida que cada membro da equipe nutre sua própria raiva e mágoa resultante de palavras e ações dolorosas impensadas (ou intencionais) de outros. Como entre um casal, o "colesterol" do relacionamento se acumula e se torna prejudicial à saúde organizacional.

Não é possível controlar como os outros se comportam no local de trabalho, mas podemos controlar nossa resposta às ações deles. E isso muitas vezes significa perdoar aqueles que nunca pedem desculpas por suas palavras ou comportamento. Quando decidimos de forma deliberada não guardar rancor, ajudamos a reduzir esse colesterol ruim que pode com tanta facilidade entupir as artérias de nossos relacionamentos de trabalho. Fazendo isso, impedimos que pequenos ressentimentos se transformem em conflitos maiores.

Jesus tratou dessa questão específica:

> Mas a vocês que me ouvem, eu digo: amem os seus inimigos, façam o bem a quem os odeia, abençoem quem os amaldiçoa, orem por quem os maltrata. Se alguém lhe der um tapa numa face, ofereça também a outra. Se alguém exigir de você a roupa do corpo, deixe que leve também a capa. Dê a quem pedir e, quando tomarem suas coisas, não tente recuperá-las. Façam aos outros o que vocês desejam que eles lhes façam.
>
> Lucas 6.27-31

Isso estipula um padrão elevado para como respondemos aos que nos provocam, mas um líder pode estabelecer o exemplo de arrependimento e perdão para que os outros reproduzam. Digamos que, como líder, você repreendeu alguém em um momento de raiva durante uma reunião pública. Abordar aquela pessoa em particular mais tarde e se desculpar pode curar e restaurar o relacionamento. Também diminui a probabilidade de que você repita essa atitude. Ainda mais admirável é quando um líder pede desculpas por um erro ou uma palavra ríspida em público. A disposição de um líder de se desculpar e também de perdoar os outros é uma ferramenta poderosa para criar uma cultura saudável.

Certa vez, recebi um *e-mail* de um funcionário de baixo escalão que se sentia tão decepcionado por uma decisão que tomei que ele exigiu que eu me demitisse — não é a estratégia mais inteligente, exigir que o chefe se demita. Meu primeiro instinto foi reagir com indignação pela audácia dele. Em vez disso, esperei algumas semanas até que me acalmasse e então o abordei com um gesto inesperado, pedindo desculpas pela forma como minha decisão o afetou. Foi uma maneira de mostrar a ele que eu entendia por que ele se sentia magoado. Tivemos uma longa conversa restauradora e nos tornamos colegas ainda mais próximos depois disso. As pessoas apreciam muito um líder vulnerável que esteja disposto a admitir seus erros e assumir a responsabilidade por eles com integridade. E isso ajuda a criar uma cultura em que todos se tornam responsáveis por seus erros ou maus comportamentos ocasionais.

Líderes cometem erros

Aos líderes é confiado o poder, e com esse poder eles tomam decisões que afetam sua organização e as pessoas que participam dela. Quando um líder comete um erro ou toma uma decisão ruim, as consequências podem ter longo alcance. Por isso é crucial que os líderes se disponham não apenas a reconhecer seus erros, mas também a se desculpar por eles e realizar ações que consertem os danos causados. Um líder que não assume a responsabilidade dessa maneira exerce um efeito devastador sobre a organização e as pessoas que trabalham lá. Em contrapartida, um líder humilde que reconhece seus erros, que se responsabiliza por eles e corrige sua atitude conquistará o respeito da equipe e criará uma cultura saudável em que autenticidade, perdão e restauração serão a norma.

> É crucial que os líderes se disponham não apenas a reconhecer seus erros, mas também a se desculpar por eles.

Infelizmente, no mundo de hoje, é comum que líderes bem conhecidos sejam apanhados abusando do poder e realizando atos escandalosos. Alguns são expostos como um fracasso moral; outros são flagrados mentindo, apropriando-se indevidamente dos recursos, atormentando a equipe ou utilizando seu poder de forma não ética a fim de obter ganhos pessoais. Pense, porém, em como é raro ver os que são flagrados oferecer uma desculpa sincera e arrependida. As desculpas costumam ter um sentido de "Sinto muito por ter sido apanhado" em vez de um autêntico "Sinto muito de verdade, pois o que fiz foi errado". E quando um líder assim se recusa a se responsabilizar por seu mau comportamento, aceitar as consequências e pedir perdão com sinceridade, ele nunca consegue compreender o tipo de restauração que é capaz de obter tanto de Deus como das pessoas que prejudicou.

Um dos maiores líderes na Bíblia, o rei Davi, é descrito como um líder "segundo o coração de Deus". Contudo, como todos os líderes, Davi cometeu erros, pecou contra Deus e tomou decisões que tiveram consequências para as pessoas que ele liderava. Em um dos maiores fracassos de Davi, seu poder, orgulho e ego o levaram a pecar contra Deus quando instruiu seus subordinados a realizar uma contagem de seus vastos exércitos, um exercício de orgulho e vaidade que levou quase dez meses para ser completado. A história é narrada tanto em 1Crônicas 21 como em 2Samuel 24.

> Satanás se levantou contra Israel e incitou Davi a fazer um censo. Davi disse a Joabe e aos comandantes do exército: "Façam uma contagem de todo o Israel, desde Berseba, ao sul, até Dã, ao norte, e tragam-me um relatório para que eu saiba o número exato do povo".
>
> Joabe, porém, respondeu: "Que o Senhor torne a população cem vezes mais numerosa do que é hoje! Mas por que meu senhor, o rei, deseja fazer essa contagem? Eles não são todos seus servos? Por que levar Israel a pecar?".
>
> Apesar da objeção de Joabe, o rei insistiu que fizessem o censo.
>
> 1Crônicas 21.1-4

Note que Joabe, representando os comandantes das tropas, teve a coragem de "falar a verdade contra o poder" e aconselhou Davi com veemência a não fazer isso. Joabe percebeu que essa ordem tola partia do orgulho de Davi e que enfureceria a Deus sem necessidade, trazendo culpa sobre Israel. Entretanto, a despeito do alerta respeitoso mas categórico de Joabe, Davi foi em frente, oferecendo uma prova ainda mais clara de que era movido pelo orgulho. Em um capítulo anterior, expliquei como é importante que os líderes se cerquem de boas pessoas, concedam-lhes permissão para discordar e ouçam atentamente seus conselhos. O poder e o egoísmo de Davi lhe roubaram a disposição de escutar.

Após nove meses e vinte dias de um senso tedioso, Joabe retornou ao rei com os resultados. Agora, porém, talvez depois de tantos meses para analisar suas próprias ações e motivos, vemos Davi compreender por fim o pecado: uma confiança arrogante no poderio de seus exércitos em vez de no poder de Deus. "Depois que Davi fez o censo, sua consciência começou a incomodá-lo. Ele disse ao Senhor: 'Pequei grandemente ao fazer essa contagem. Perdoe meu pecado, ó Senhor, pois cometi uma insensatez'" (2Samuel 24.10).

Aqui vemos o primeiro passo no processo de arrependimento > perdão > restauração. Davi admite o erro, reconhece seu pecado e suplica a Deus que o perdoe. Ao que parece, ele o faz em público de maneira que todo o povo testemunhe a admissão do erro e o arrependimento sincero de seu líder. Mesmo assim, o erro de Davi produz sérias consequências.

> Na manhã seguinte, a palavra do Senhor veio ao profeta Gade, vidente de Davi. Esta foi a mensagem: "Vá e diga a Davi que assim diz o Senhor: 'Darei a você três opções. Escolha um destes castigos, e eu o aplicarei a você'".
>
> Gade foi a Davi e lhe perguntou: "Qual destas opções você escolhe: três anos de fome por toda a terra, três meses fugindo de seus inimigos, ou três dias de praga intensa por toda a terra? Pense bem e decida o que devo responder àquele que me enviou".
>
> 2Samuel 24.11-13

No caso de Davi, Deus apresentou as consequências de suas ações na forma de três escolhas. Aqui temos sendo punido um líder que ainda precisa liderar; ainda precisa administrar as consequências que seu erro gerou ao povo. Deus faz com que Davi enfrente outra decisão abrangente em sua liderança. As duas primeiras opções, a fome e a guerra, seriam devastadoras para o povo, mas é provável que a riqueza e posição de Davi o protegessem, junto com sua família, de qualquer prejuízo. A terceira opção, a praga, significaria que ele e os membros de sua família seriam igualmente vulneráveis à punição de Deus. Demonstrando tanto lealdade ao povo como confiança em Deus, Davi escolhe a terceira opção.

> "Não tenho para onde correr nesta situação!", respondeu Davi a Gade. "Mas é melhor cair nas mãos do Senhor, pois sua misericórdia é grande. Que eu não caia nas mãos de homens."

Então, naquela manhã, o SENHOR enviou sobre Israel uma praga que durou o tempo determinado. Morreram setenta mil pessoas em todo o Israel, desde Dã, ao norte, até Berseba, ao sul.

2Samuel 24.14-15

Davi disse a Deus: "Fui eu que ordenei o censo! Eu pequei e fiz o que era mau! Mas o povo é inocente, como ovelhas. O que fizeram? Ó SENHOR, meu Deus, que tua ira caia sobre mim e minha família, mas não castigue teu povo!".

1Crônicas 21.17

Depois que a praga assola dezenas de milhares do povo de Davi, o rei horrorizado e penitente implora a Deus que tenha misericórdia, pedindo que só ele e sua família sejam punidos. Aqui vemos um líder pastor que agora compreende por completo os efeitos desastrosos de seu erro no povo inocente. Mais uma vez, ele admite em público seu pecado e oferece a própria vida em pagamento. O arrependimento de Davi é absoluto. Nesse momento, o Senhor interrompe a praga na eira de Araúna, o jebuseu, e ordena que Davi construa lá um altar e realize um sacrifício por seu pecado.

O fim desse episódio merece ser estudado. Um Davi orgulhoso pecou contra Deus. Seu pecado produz consequências tremendas que afetaram a nação inteira. Davi se arrependeu de seu pecado em público e com grande angústia e sinceridade. Vendo seu arrependimento genuíno, Deus perdoou Davi e cessou a punição. Davi ainda busca oferecer, porém, uma reparação a Deus ao construir um altar para realizar sacrifícios no local onde a praga terminou, a eira de Araúna, o jebuseu. Quando Araúna oferece a propriedade ao rei sem cobrar nada, Davi recusa, respondendo: "Não! Faço questão de comprá-la pelo preço justo. Não tomarei o que é seu para oferecer ao SENHOR. Não apresentarei holocaustos que nada me custaram" (1Crônicas 21.24). Davi compreende que ele deve arcar com o pagamento da terra porque o perdão de seu pecado exige um custo. E assim Davi compra a terra, constrói um altar e oferece sacrifícios a Deus.

Líderes devem assumir a responsabilidade por seus erros

Existem alguns princípios práticos para a liderança de hoje que podemos extrair dessa história notável de pecado e redenção.

Em primeiro lugar, Davi permitiu que seu poder e orgulho lhe subissem à cabeça. Ele foi motivado pelo ego em vez de pensar no que seria melhor para o povo que liderava. Insistiu que seus comandantes realizassem meses de trabalho árduo com o objetivo único de fazer com que ele se sentisse mais importante. Esse abuso de poder é comum em locais modernos de trabalho, quando os líderes agem movidos por autointeresse em vez de priorizar o bem maior.

Em segundo lugar, bons líderes devem sempre encorajar a discordância saudável. E embora os líderes às vezes precisem rejeitar as sugestões dos membros da equipe, só devem fazê-lo depois de uma longa consideração da opinião oposta, em especial se essa opinião for quase unânime. Davi não deu ouvidos ao conselho de seus principais líderes, que não apenas notaram o erro, mas também o aconselharam de forma clara e respeitosa a não seguir em frente. Ele teve mais de nove meses para mudar de ideia à medida que o censo era conduzido, mas prosseguiu com teimosia.

> Bons líderes devem sempre encorajar a discordância saudável.

Em terceiro lugar, quando um líder enfim percebe seu erro, ele deve assumir a responsabilidade em público, desculpar-se com sinceridade e buscar o perdão daqueles que foram afetados. É assim que o líder demonstra seu arrependimento genuíno, e só desse modo é possível ver restaurados o respeito e a confiança em um líder que cometeu um erro significativo. Contestar e colocar a culpa em outros não inspira lealdade nem confiança.

Por fim, um líder deve se esforçar para desfazer os danos causados. Mesmo após compreender seu erro catastrófico, Davi ainda teve de guiar a nação em meio aos efeitos negativos. E quando a praga finalmente acabou, ele tomou mais medidas para demonstrar seu remorso ao comprar a terra, construir um altar e oferecer sacrifícios.

> Contestar e colocar a culpa em outros não inspira lealdade nem confiança.

Davi não foi de modo nenhum um líder perfeito. Mesmo sendo um líder segundo o coração de Deus, cometeu erros terríveis e demonstrou falhas morais horrendas. (Você se lembra do caso que ele teve com Bate-Seba e do assassinato do marido dela?) Entretanto, porque Davi respondeu a seus próprios erros e seu mau comportamento com integridade e remorsos sinceros, ele ainda é considerado um dos maiores líderes de todas as Estruturas. Davi foi um verdadeiro líder orientado pelos valores, conquistando o respeito de seu povo nos bons e maus momentos.

Como um posfácio para a história de Davi, aquele terreno que ele comprou de Araúna tem um significado simbólico importante na história das

Escrituras. A eira de Araúna ficava no monte Moriá, o local onde Deus ordenou que Abraão sacrificasse seu filho Isaque, mas depois voltou atrás e forneceu o cordeiro para ser sacrificado no lugar do rapaz. Esse momento profundo na história de Israel foi um prenúncio da intenção de Deus de fornecer o sacrifício de seu próprio Filho, o Cordeiro de Deus, pelos pecados de toda a humanidade. A terra de Araúna é também o local onde o filho de Davi, Salomão, construiria o templo magnífico onde Deus viveria com seu povo e onde sacrifícios seriam realizados todos os dias pelos pecados de Israel. E quase mil anos mais tarde, não muito longe da eira de Araúna, Jesus Cristo seria crucificado como o sacrifício supremo por nossos pecados. Esse é o local exato onde se desenrolou o plano de Deus quanto ao pecado > arrependimento > perdão > restauração.

> Um líder deve se esforçar para desfazer os danos causados.

Pedir desculpas

A história de Davi reverbera de maneira profunda dentro de mim porque também cometi erros de liderança que necessitaram de perdão. Como Davi, em um momento particularmente doloroso, recebi de alguns membros de minha equipe o conselho veemente de não tomar uma decisão que, na opinião deles, não condizia com os valores de nossa organização e causaria prejuízos a nossa reputação. Eu segui adiante mesmo assim, e minha decisão infeliz resultou em uma grande dose de discórdias e controvérsias. A decisão foi revertida em poucos dias, mas o dano já havia sido feito e muitos de nossos parceiros perderam a confiança em nós — e tudo por minha culpa.

O que aconteceu nas semanas e meses seguintes demonstra o poder do perdão para transformar relacionamentos rompidos. Para mim, começou com o arrependimento — assumindo a responsabilidade por meu erro de maneira pública e com remorso genuíno. Como somos cristãos, porém, Deus também pede que nos dirijamos àqueles que prejudicamos e busquemos seu perdão também. É um trabalho complexo em qualquer relacionamento, pois requer que abordemos a pessoa ofendida, nos mostremos vulneráveis, admitamos que estávamos errados e assumamos toda a responsabilidade por nossas ações. E assim, começando com minha própria equipe e funcionários, contatei muitos parceiros e constituintes diferentes individualmente para me desculpar e lhes pedir que me perdoassem. Foram conversas difíceis, mas também terapêuticas; muitos me encorajaram ao longo do caminho, recebendo com benevolência meu pedido de desculpas e elevando meus ânimos. Em alguns casos, essas conversas delicadas abriram o caminho para novas amizades e parcerias. Aos poucos, o processo de arrependimento > desculpas > perdão > restauração começou a funcionar à medida que consegui consertar muitos dos relacionamentos rompidos e começar a virar a página daquele capítulo complicado para mim e para a organização que eu liderava. Contudo, esse processo de restauração não teria sido possível sem uma desculpa sincera e o perdão.

Um pedido de desculpas bem feito

Em 12 de abril de 2018, num café Starbucks na Filadélfia, dois homens negros aguardavam a chegada de um amigo. Quando pediram para utilizar o banheiro, foram informados de que não podiam, pois não haviam comprado nada. Em seguida, a gerente pediu que deixassem a loja. Quando eles se recusaram a sair, a polícia foi chamada e os dois homens foram algemados, presos e removidos do café. Esse episódio foi flagrado em um vídeo que se tornou viral poucos minutos depois de ser publicado, despertando ultraje em todo o país pelo que foi interpretado como um caso feio de perfilamento e discriminação racial. A Starbucks foi alvejada por críticas e mensagens furiosas.

Kevin Johnson, diretor executivo da Starbucks na época, de repente viu a si mesmo e sua empresa enredados numa controvérsia nacional. A Starbucks poderia ter respondido de muitas maneiras. O diretor executivo poderia ter culpado e despedido os funcionários do café, e declarado apenas que eles não representavam o espírito e a cultura da Starbucks. Poderia ter culpado a polícia pela reação exagerada e por agravar a situação. Em vez disso, Kevin Johnson assumiu a responsabilidade completa. Aqui estão vários trechos de sua declaração oficial, feita dias após o incidente.

> Quero começar oferecendo um pedido pessoal de desculpas aos dois cavalheiros que foram presos em nosso café. O que aconteceu e a maneira como o ocorrido se agravou, e o resultado, foi simplesmente repreensível — e eu sinto muito. Quero pedir desculpas à comunidade da Filadélfia, e a todos os meus parceiros da Starbucks. Não é isso o que somos, e não é isso o que seremos. Aprenderemos

com o que aconteceu e nos tornaremos melhores por causa disso. Esses dois cavalheiros não mereceram o que aconteceu, e nós somos responsáveis.

Eu sou responsável [...].

Recebemos alguns pedidos para que tomemos uma atitude quanto à gerente do café. Acredito que jogar a culpa nela seja um equívoco. Na realidade, acredito que o foco para consertar isso é minha responsabilidade. Essa é uma questão de gerenciamento, e sou responsável por garantir que tratemos da política, da prática e do treinamento que levou a esse resultado.[1]

Aqui vemos um líder se desculpando de maneira sincera, demonstrando remorso genuíno, assumindo a responsabilidade pessoal pelo que aconteceu, e prometendo lidar tanto com o prejuízo causado como com a cultura subjacente dentro da empresa que levou ao ocorrido. No entanto, Kevin Johnson fez mais do que apenas dar uma declaração e seguir adiante. Ele viajou até a Filadélfia e se encontrou frente a frente com os dois homens que haviam sido presos a fim de lhes pedir desculpas e oferecer reparações. Também se encontrou com o prefeito e com o chefe de polícia da Filadélfia. Johnson sabia, porém, que lidar com as causas na raiz dessa questão exigiria mais do que um pedido de desculpas. Por isso, em primeiro lugar, a Starbucks alterou e esclareceu uma questão de política da empresa numa carta a todos os funcionários declarando: "Qualquer pessoa que entra em nossos espaços, inclusive nos pátios, cafés e banheiros, independentemente de ter comprado algo ou não, é considerado um cliente".[2] Então, Johnson firmou um compromisso sem precedentes de conduzir um treinamento sobre discriminação racial com todos os 175.000 funcionários da Starbucks no país e, em 29 de maio, chegou a fechar todas as 8.000 lojas nos Estados Unidos por uma tarde inteira para cumprir esse compromisso.[3]

Levaria muito tempo para contar a história completa, mas esse momento de liderança ilustra o poder do perdão em um contexto inteiramente secular. Kevin Johnson admitiu que seus funcionários haviam cometido um erro, assumiu a responsabilidade pessoal por isso como líder e se desculpou de modo genuíno àqueles que foram afetados. Ele não o fez apenas por telefone e um comunicado à imprensa, mas tomou um avião para atravessar o país e fazê-lo pessoalmente. Em seguida, tomou medidas decisivas para que todos os funcionários aprendessem com o ocorrido de forma que a Starbucks emergisse mais forte e melhor após a crise. Ele seguiu os princípios de arrependimento > desculpa > perdão > restauração, e, agindo assim, é possível dizer que reverteu uma situação terrível e até mesmo aumentou o respeito pela marca Starbucks, conquistando a simpatia de muitos dos críticos da empresa.

O perdão é um remédio potente que opera em diversos níveis em nossa vida. Age em nossas interações mundanas do dia a dia com outras pessoas e também em momentos de crises monumentais. De muitas maneiras, o perdão é um tipo de "droga miraculosa" que cura os danos causados por uma ampla variedade de moléstias. E um líder que entende a necessidade do perdão e o poder de um pedido de desculpas é um líder que outros buscarão seguir.

14
Autoconsciência
Conhece-te a ti mesmo

ESCRITURAS → "Por que você se preocupa com o cisco no olho de seu amigo enquanto há um tronco em seu próprio olho?" (Mateus 7.3).

PRINCÍPIO DE LIDERANÇA → Os melhores líderes se esforçam para tomar consciência de suas próprias fraquezas e imperfeições, e para aprender a entender o impacto potencializado que suas palavras e ações exercem sobre os outros.

O maior de todos os defeitos é não ter consciência de nenhum deles.
THOMAS CARLYLE

Palavras inspiram. E palavras destroem. Escolha bem as suas.
ROBIN SHARMA

Tenho certeza de que minha esposa se surpreenderá ao descobrir que estou escrevendo um capítulo sobre autoconsciência. Como o fez em muitas ocasiões, Renée me ensinou uma lição valiosa sobre esse atributo logo depois que nos casamos. Eu tinha meus trinta e poucos anos e havia acabado de ser nomeado o novo presidente da Parker Brothers Games. Digamos apenas que na época eu andava com o rei na barriga. Renée estava em casa com nossos dois filhos pequenos, administrando uma casa ocupada. No trabalho, eu gerenciava cerca de mil funcionários, inclusive seis vice-presidentes. Um dia típico para mim era uma tempestade de interações, conversas, reuniões e distribuição de tarefas, com as pessoas me procurando para que eu tomasse decisões importantes que impactariam a empresa. Eu era "o grande encarregado". E no fim do dia, voltava para casa transbordando de adrenalina.

Certo dia, depois do trabalho, entrei em casa e comecei a interrogar Renée sobre o que ela havia feito durante o dia. Ela havia chamado alguém para consertar a lavadora, marcado hora para a manutenção do carro, pagado os boletos, e assim por diante? (Eu sei, foi péssimo — tão, tão ruim!) Eu estava em pleno "modo de combate" de um diretor executivo, fazendo perguntas e exigindo resultados. Renée não gostou daquilo. Em vez de se zangar comigo, porém, ela me tomou pela mão e disse: "Venha comigo". Ela me levou de volta pela porta até os degraus da entrada. Então ela apontou para a porta e indagou: "Está vendo essa entrada? Quando você cruza esse limiar, já não é mais o diretor executivo. Eu sou sua esposa, não sua funcionária". Ela estava com a razão; eu havia sido incrivelmente obtuso e insensível.

> Os melhores líderes se esforçam para tomar consciência de suas próprias fraquezas.

Meu comportamento nesse episódio bobo demonstrou uma absoluta falta de autoconsciência. Não percebi que havia levado esse comportamento de "comando e controle" para dentro de casa e para meu casamento, nem notei a mágoa que estava infligindo ao ser tão insensível aos sentimentos de Renée, à sua realidade diária, ou aos sacrifícios que ela havia feito para ficar em casa e cuidar de nossos filhos. Aquela foi uma lição importante que aprendi, não apenas sobre o casamento, mas sobre a vida. Como as outras pessoas nos percebem? Como nossas palavras e ações afetam os outros de maneira negativa? Por que não nos enxergamos como outros nos veem, e por que muitas vezes não levamos em consideração os sentimentos e perspectivas dos outros?

O líder autoconsciente

Os melhores líderes se esforçam para tomar consciência de suas fraquezas e imperfeições e aprendem a entender o efeito amplificado que suas palavras e ações exercem sobre os outros. Isso é porque os melhores líderes levam os pensamentos e sentimentos das outras pessoas em consideração. Um líder que não é autoconsciente é como uma criança vendada brincando de pregar o rabo no burro com um prego muito afiado — perigoso! A autoconsciência é complexa; é um conceito multifacetado. Por isso, permita-me desempacotá-lo em três dimensões diferentes: consciência do papel, consciência pessoal e consciência relacional.

A *consciência do papel* se refere ao entendimento do papel singular que você desempenha como líder. A responsabilidade primária de um líder é desencadear o potencial pleno das pessoas em sua equipe a fim de que esta consiga cumprir sua missão e suas metas. Infelizmente, há líderes demais que entendem isso às avessas, utilizando seu pessoal para conduzir seus próprios planos egoístas. Eles usam os outros membros da equipe para servir seus próprios interesses, ajudar a própria reputação e obter vantagens pessoais — pois só se importam com eles mesmos. Se você já trabalhou para alguém assim, sabe como é desmoralizante.

Entretanto, como afirmei no capítulo 1, um grande líder compreende que é apenas um membro de uma equipe maior que necessita dos esforços e talentos de todos os membros para prosperar.

> A autoconsciência de um líder começa com um entendimento ancorado de seu verdadeiro papel.

O regente de uma orquestra não é necessariamente a pessoa com o maior talento — ou mesmo a mais importante — no palco. É apenas aquele com o papel específico de liderança. Está lá para ajudar e capacitar os músicos talentosos para que toquem a música no nível mais elevado que lhes é possível. A autoconsciência de um líder começa com um entendimento ancorado de seu verdadeiro papel.

A *consciência pessoal* é o conhecimento das próprias forças e fraquezas, talentos e deficiências. O que você sabe fazer bem? Quais são os seus traços positivos? Quais são as suas falhas e tendências negativas? Sim, cada líder possui falhas e traços negativos, e a inabilidade de reconhecê-los pode levar a um desastre. Como líder, você quer se apoiar em suas forças e talentos e, ao mesmo tempo, minimizar o impacto de suas fraquezas e deficiências. Para utilizar uma metáfora de jogos de cartas, todos recebemos uma mão de cartas na vida. Talvez tenhamos algumas cartas com figuras e uma mão forte em um ou dois naipes, mas também recebemos alguns dois e três e talvez sejamos fracos em algumas áreas específicas. Se um líder é cego para esses naipes mais fracos, sua liderança pode adquirir um desequilíbrio permanente.

Em minha carreira, sempre me destaquei pelo lado criativo dos negócios em que trabalhei. Adorava desenvolver novos produtos e conceitos, estratégias criativas e anúncios. E era bom nessas atividades. Contudo, eu tinha pouco interesse ou habilidade nos detalhes de gerenciamento financeiro, sistemas tecnológicos de informação e fabricação — aspectos cruciais para nosso sucesso. Eu também não era muito detalhista, por isso sempre precisava de pessoas que me ajudassem a administrar e manter o controle dos processos e detalhes importantes.

Entendendo meu próprio perfil, eu era capaz tanto de me apoiar em minhas forças como de garantir que teria outros em minha equipe que fossem fortes nas áreas em que eu era mais fraco. Quando um líder reconhece suas fraquezas pessoais, ele também afirma a importância dos dons e habilidades que outros na equipe trazem para a mesa. E ao entender e encarar suas forças e vulnerabilidades, você conseguirá aperfeiçoar o desempenho de toda a equipe. Ninguém quer trabalhar para um líder que se imagina brilhante em tudo, pois essa atitude rebaixa as contribuições dos demais.

A *consciência relacional* trata do entendimento de como os outros nos veem. Quando minha esposa precisou me lembrar de que eu não era diretor executivo quando atravessava o limiar de casa, eu não estava ciente de como minhas palavras e comportamento eram percebidos por ela. Ter consciência relacional significa pensar de forma deliberada sobre como os outros o percebem — como suas palavras, atitude e ações são recebidas por outros.

Acredito com veemência em análises de 360 graus, em que um líder é avaliado de maneira confidencial por um grupo de colegas. Quando estruturada corretamente, essa ferramenta oferece a um líder um sincero vislumbre da forma exata como está sendo percebido pelos outros. Na Visão Mundial, apesar de eu ser o seu diretor executivo, minha diretoria insistia que eu me sujeitasse a uma análise de 360 graus todos os anos. Eles perguntavam a meus subalternos diretos o que pensavam de minha liderança em relação a diversos quesitos e então me apresentavam os resultados. Isso sempre me deixava um pouco desconfortável, pois, como a maioria das pessoas, não gosto de ouvir críticas. E por alguns anos a diretoria até incluiu minha esposa na revisão, pois queria saber como meu trabalho afetava nosso relacionamento e família. Ainda mais desconfortável! Entretanto, sempre acreditei que é melhor saber como se é percebido pelos outros do que ignorá-lo.

Certa vez, durante meu tempo na Lenox, realizei análises de 360 graus com todos os meus subalternos diretos e, em seguida, me sentei com cada um deles para rever os resultados. Um dos líderes recebeu pareceres negativos constantes durante anos. Embora fosse talentoso e obtivesse resultados positivos nos negócios, sua equipe o considerava arrogante, dado a abusos verbais e intimidador. Relatavam que ele tentava controlar o tempo todo cada detalhe do trabalho deles — dizendo-lhes como deveriam executá-lo — e nunca os elogiava quando faziam algo bom. Isso gerava desânimo e até mesmo contribuía para o alto índice de demissões no departamento. Cada vez que eu indicava esse comportamento em sua avaliação, ele expressava espanto. "Eu não sou assim. Não sou abusivo, e não tento controlar minha equipe. E meus resultados falam por si." Eu lhe explicava que esperava que ele se tornasse mais consciente dessas questões e tentasse melhorar. Entretanto, depois de alguns anos com as mesmas críticas, frustrei-me com sua falta de autoconsciência. Acabei por lhe dar um ultimato: "Escute, você talvez não enxergue essas tendências em seu comportamento, mas é assim que os outros o veem. Acredito que *essa percepção seja a realidade*, por isso mude a percepção ou mude a realidade. De um jeito ou de outro, você precisa resolver isso". Em vez de dar ouvidos à análise de 360 graus com a mente aberta e um espírito de humildade, ele optou pela negação. Alguns meses mais tarde, sugeri que era hora de ele deixar a empresa, e foi o que ele fez.

Percepção em oposição à realidade

Percepção em oposição à realidade é um conceito complicado. Com frequência dizemos e fazemos coisas com uma intenção, mas a outra pessoa escuta de maneira diferente do que planejávamos. Quando eu estava interrogando minha esposa sobre o que ela havia conseguido realizar durante o dia, eu não tinha intenção de magoá-la ou insultá-la. Eu estava tentando descobrir como andava a situação. Estava apenas buscando informação. No entanto, minhas palavras e meus gestos soaram acusatórios e reprovadores. Se eu tivesse me colocado no lugar dela por um momento, fazendo uma pausa para considerar como minhas perguntas seriam recebidas depois de um dia longo e difícil com duas crianças pequenas, eu poderia ter evitado os sentimentos de mágoa e o mal-entendido. E se eu tivesse levado aquela criança irrequieta para o quarto para lhe contar uma história e lhe dar um banho? E se eu tivesse perguntado como poderia ajudar a aliviar o fardo de Renée? Isso teria alterado por completo a dinâmica e a resposta dela. Porém, isso teria exigido que eu me mostrasse mais sintonizado com a realidade dela e menos preocupado com a minha. Em outras palavras, teria exigido maior autoconsciência.

A dinâmica do poder

No local de trabalho, o problema da oposição de percepção e realidade pode ser ampliado por poder, posição e dinheiro. As pessoas sob a autoridade de um líder têm plena consciência de que este possui o poder e a capacidade para as promover, rebaixar ou demitir. A sobrevivência e o bem-estar da família delas dependem de permanecer nas boas graças do chefe. Há muito em risco. Desse modo, além de gerar algumas dinâmicas interessantes (e, em geral, disfuncionais) no escritório, esse desequilíbrio de poder distorce e amplifica as palavras que saem da boca do líder, muitas vezes com consequências não intencionadas. O "sussurro" do líder soa como um grito ensurdecedor para alguém sob sua autoridade — e o "grito" de um líder tem o potencial de ser traumatizante.

Se durante uma reunião você diz algo num momento de raiva a um funcionário de nível inferior, ou faz um comentário desrespeitoso sobre ele para outros, cinco minutos mais tarde você talvez se esqueça do que falou. Contudo, aquelas palavras podem destruir a autoestima e confiança daquela pessoa durante semanas e, ao mesmo tempo, rebaixar o valor dela aos olhos dos colegas. E ainda que não tenha sido de modo nenhum a sua intenção, essa foi a consequência negativa real de suas palavras. Em contrapartida, quando você, como líder, utiliza palavras para apoiar, elogiar e inspirar os membros da equipe, o impacto positivo também será amplificado — aumentando-lhes a confiança, a autoestima e a satisfação com o trabalho. Os líderes autoconscientes aprendem a entender o impacto ampliado de suas ações e palavras.

É provável que você seja parcial

Embora eu não seja capaz de cobrir esse assunto de maneira adequada aqui, um componente crucial da autoconsciência de um líder é o reconhecimento de que estereótipos de gênero e raça distorcem profunda e perniciosamente a dinâmica no local de trabalho. Todos nós vemos o mundo através de lentes singulares, influenciados por idade, raça, gênero, cultura, histórico econômico e criação. Líderes do sexo masculino em particular muitas vezes não têm consciência de seu próprio viés de gênero, ou de como suas colegas do sexo feminino precisaram enfrentar desafios adicionais dos quais eles foram poupados, ou dos privilégios que eles usufruíram durante a carreira sem nem mesmo perceber. É comum que líderes mais velhos se mostrem cegos aos desafios específicos enfrentados pelos funcionários das gerações Y e Z. Líderes brancos tendem a subestimar os obstáculos enfrentados por membros não brancos. Os vieses de gênero e raça estão impregnados de maneira tão profunda que a maioria das pessoas nem mesmo compreende que os possui. Mulheres e minorias em especial precisam lutar contra preconceitos arraigados, muitas vezes invisíveis a seus colegas, a fim de conquistar respeito e prestígio igualitários.

Na minha classe de alunos de MBA em Wharton na década de 1970, com cerca de quinhentos alunos, havia apenas 25 mulheres — e ainda menos alunos minoritários. Já na turma de MBA de Wharton de 2021, 47% eram mulheres e 36% eram pessoas não brancas.[1] A situação mudou. Uma alteração similar ocorreu em quase todo o campo acadêmico e profissional nas últimas décadas. Entretanto, enquanto essa virada da maré em nossas universidades e locais de trabalho tem menos de cinquenta anos de idade, os vieses que afetam mulheres e minorias em nossa cultura se encontram arraigados há centenas de anos. E eles não mudam da noite para o dia.

Como um líder branco, do sexo masculino e da geração dos *baby boomers*, eu entendo que você talvez não esteja muito interessado no que eu tenha a dizer sobre privilégio e desigualdade. No entanto, também percebo que, como tal, tenho a responsabilidade de me educar, elevar as diferentes perspectivas ao meu redor e realizar um esforço proativo para me envolver com esses assuntos. À medida que minha carreira progrediu e me tornei cada vez mais consciente de meus próprios vieses e privilégios, comecei a escutar de forma mais deliberada as vozes das mulheres e dos membros minoritários de minha equipe e a buscar entender suas frustrações reais. Independentemente de você ser homem ou mulher, jovem ou velho, branco ou não, é provável que também tenha vieses dos quais não tem consciência, e eu o encorajo a buscar um diálogo construtivo com membros da equipe que sejam diferentes de você a fim de entender melhor seus pontos de vista. Se você deseja se tornar mais autoconsciente, procure entender e escutar. Isso o ajudará a desencadear o potencial pleno das pessoas talentosas sob seu cuidado.

> Se você deseja se tornar mais autoconsciente, procure entender e escutar.

Todas as nações, tribos e línguas

A Visão Mundial, com cerca de quarenta mil funcionários de cem países, é um caldeirão de diversidade: etária, de gênero, racial, tribal, étnica, nacional e denominacional. Isso me forneceu o equivalente a um curso de pós-graduação sobre a maravilhosa diversidade do povo de Deus. A Visão Mundial firmou um compromisso profundo e consciente de buscar diversidade, igualdade e inclusão. À medida que a organização abandonou o modelo das décadas de 1950 e 1960, baseado no envio de missionários brancos, ela se comprometeu deliberadamente com uma transição para a liderança local, promovendo funcionários nacionais a posições de autoridade em seus países de origem. Isso significou que ugandenses administrariam a Visão Mundial Uganda, brasileiros gerenciariam a Visão Mundial Brasil, e assim por diante. Nos anos subsequentes, a Visão Mundial também empreendeu um esforço perseverante de promover mulheres para posições mais altas de autoridade, mesmo em sociedades patriarcais em que essa ideia era contrária às normas culturais. A certa altura, quatro dos sete vice-presidentes regionais da Visão Mundial eram mulheres — duas na África, uma no Oriente Médio e uma na América Latina. Essas mudanças corresponderam a um crescimento explosivo que possibilitou a Visão Mundial se tornar uma das maiores organizações humanitárias do mundo. A diversidade também era valorizada nas diretorias global e de muitos países. A diretoria à qual eu respondia era maravilhosamente diversa, tanto no aspecto racial como no de gênero. Servi sob quatro diretores durante meus vinte anos lá — dois homens e duas mulheres.

Minhas experiências na Visão Mundial ajudaram tanto a revelar como a começar a remover meus próprios vieses sutis. Lembro-me de minha primeira viagem internacional para a Visão Mundial Uganda em 1998, poucas semanas depois de ter começado a trabalhar na organização. Fui apresentado a uma mulher que dirigia o programa de microfinanças na região rural daquele país. Era uma mulher ugandense amável com um sorriso contagiante, mas me recordo de duvidar se ela seria de fato qualificada para administrar um programa tão grande de microfinanças. Hoje me envergonho de admitir, mas seu vestido e suas maneiras informais — e, sendo honesto comigo mesmo, sua raça e nacionalidade — não combinavam com meus preconceitos de uma "executiva financeira capaz". Por isso, mais tarde naquele dia, fiz algumas perguntas com tato sobre seu histórico. Descobri que ela havia se formado em uma universidade em Kampala e obtido o diploma de mestrado da Escola de Economia de Londres. Ela havia trabalhado para uma corporação multinacional por alguns anos antes de decidir que queria, na verdade, ajudar os pobres em seu próprio país. Havia aberto mão de uma vida próspera em Kampala para viver entre os pobres em um modesto barraco de madeira numa comunidade rural. A verdade é que ela possuía qualificações em excesso para aquele trabalho, e meu julgamento sobre ela estava completamente errado.

Por causa de minha perspectiva americana formada pelo curso de MBA da Wharton, eu tinha uma ideia específica de como um executivo financeiro talentoso se pareceria. Como resultado de meus preconceitos, parti de forma tola para algumas conclusões sobre as capacidades dela. É assim que os vieses distorcem e desnorteiam nossa liderança de maneira pouco saudável. Quando prejulgamos as pessoas com base em fatores como gênero, raça, nacionalidade — e até mesmo altura, peso ou aparência —, deixamos de aproveitar a fantástica diversidade de dons e talentos que Deus colocou à nossa volta.

Se você acredita que não possui esses vieses, é provável que esteja errado, pois todos os temos. E se você pretende ser um líder autoconsciente, deve fazer o esforço de entender melhor os desafios específicos que mulheres, minorias e pessoas de diferentes grupos etários enfrentam no ambiente de trabalho, e também a maneira poderosa como experiências e perspectivas diversas podem modelar sua organização.

O tronco em seu olho

A conhecida advertência de Jesus de tirar o tronco de nossos próprios olhos antes de tentar remover o cisco dos olhos dos outros trata exatamente da autoconsciência. Examinemos essa importante passagem.

> Não julguem para não serem julgados, pois vocês serão julgados pelo modo como julgam os outros. O padrão de medida que adotarem será usado para medi-los.
>
> Por que você se preocupa com o cisco no olho de seu amigo enquanto há um tronco em seu próprio olho? Como pode dizer a seu amigo: "Deixe-me ajudá-lo a tirar o cisco de seu olho", se não consegue ver o tronco em seu próprio olho? Hipócrita! Primeiro, livre-se do tronco em seu olho; então você verá o suficiente para tirar o cisco do olho de seu amigo.
>
> Mateus 7.1-5

Jesus nos explica que, se quisermos *enxergar com clareza*, o processo começa com a autoconsciência; primeiro precisamos reconhecer e remover o "tronco" do olho. Em outras palavras, antes de julgarmos (ou liderarmos) os outros, precisamos analisar a fundo nossas próprias limitações e motivações. Esse processo deve induzir a humildade, ao nos darmos conta de quantas falhas, deficiências e vieses possuímos. E apenas depois de termos feito uma avaliação justa de nossas próprias deficiências estaremos no estado mental apropriado para ver com clareza as de nossos colegas. Entretanto, nós agora as veremos com muito mais empatia e compaixão.

Ao buscar se tornar um líder melhor, tome consciência do efeito que você provoca nos outros em redor. Coloque-se no lugar deles e tente estudar o impacto de suas palavras e de seu tom de voz antes de falar. Descubra mais sobre os membros de sua equipe — histórico, família, paixões, interesses. Faça questão de saber se estão atravessando tempos difíceis fora do local de trabalho. As crianças estão indo bem, estão cuidando dos pais idosos, o cônjuge enfrenta problemas de saúde? Quando passar a conhecê-los dessa maneira, você será muito mais eficiente ao liderá-los e despertar o melhor neles.

As pessoas com quem você trabalha foram colocadas em sua vida por um motivo. Foram confiadas a você por alguma razão. Deus quer que você seja seu embaixador na vida delas, demonstrando-lhes seu amor e carinho. Um líder que encarna os valores delineados neste livro — integridade, humildade, generosidade, amor, perdão, autoconsciência, e assim por diante — cria um ambiente que faz com que os membros da equipe se sintam sãos e salvos em vez de temerosos e paranoicos. E as pessoas que se sentem sãs e salvas tendem a demonstrar um desempenho do nível mais elevado.

15
Equilíbrio
Só trabalho e nenhuma diversão

ESCRITURAS → "No dia seguinte, antes do amanhecer, Jesus se levantou e foi a um lugar isolado para orar. Mais tarde, Simão e os outros saíram para procurá-lo. Quando o encontraram, disseram: 'Todos estão à sua procura!'" (Marcos 1.35-37).

"Mas as notícias a seu respeito se espalhavam ainda mais, e grandes multidões vinham para ouvi-lo e para ser curadas de suas enfermidades. Ele, porém, se retirava para lugares isolados, a fim de orar" (Lucas 5.15-16).

PRINCÍPIO DE LIDERANÇA → O líder que atinge um equilíbrio saudável entre trabalho, família, fé e o resto ampliará suas perspectivas, tomará decisões melhores e estabelecerá um exemplo positivo para sua equipe.

> *O trabalho é uma bola de borracha. Se você a deixar cair, ela pula de volta.*
> *No entanto, as outras quatro bolas — família, saúde, amigos e espírito —*
> *são feitas de vidro. Se deixar uma dessas cair, ficarão irrevogavelmente*
> *arranhadas, marcadas, lascadas, danificadas ou mesmo estilhaçadas.*
> BRYAN DYSON

Ainda me recordo de maneira vívida de um Dia das Bruxas em particular. Foi o Dia das Bruxas em que arrisquei minha carreira por alguns sacos de doce. Na época, Renée e eu tínhamos cinco filhos de idades entre dois e catorze anos, todos bem animados para vestir suas fantasias e sair coletando doces entre a vizinhança naquela noite. Prometi estar em casa a tempo de me juntar a eles. Eu era o diretor de operações na Lenox e havia uma reunião importante marcada para aquele dia. O diretor executivo (meu chefe) havia convocado uma reunião com todos os membros da liderança sênior para tomar uma decisão crucial sobre o futuro de nossa fábrica de cristais na Pensilvânia. Uma decisão precisava ser tomada sobre se teríamos de fechar a fábrica por questões financeiras.

Creio que a reunião começou em torno das nove horas da manhã, e 25 de nós estávamos fechados na sala da diretoria para ouvir várias apresentações e análises antes de tomar uma decisão. O problema era complexo, e a reunião continuava a se estender: duas horas, quatro horas, seis horas, e só fazia avançar. Era uma situação intensa. Lá pelas cinco horas, olhei para o relógio e percebi que minha promessa de estar com Renée e as crianças no Dia das Bruxas corria perigo. Eu ainda tinha esperanças, porém. Com certeza a reunião terminaria logo. No entanto, às seis horas da tarde, o diretor executivo não mostrava nenhum sinal de querer adiar para o dia seguinte. Foi aí que decidi fazer o impensável. Levantei minha mão, e o diretor executivo me passou a palavra. "Jim, hoje é Dia das Bruxas, e tenho cinco filhos pequenos em casa esperando que o pai os leve para coletar doces na vizinhança. Receio que eu precise deixar a reunião agora. Mas estarei aqui amanhã de manhã bem cedo para continuar essa discussão com você". Quase deu para escutar o arfar audível de mais de vinte vice-presidentes e presidentes de divisão que testemunhavam um de seus colegas fazer o inimaginável — colocar a família acima da carreira. Eu sabia que a maioria deles tinha filhos esperando em casa por eles também, mas eu havia sido o único temerário o bastante para mencionar o fato.

Houve uma pausa significativa em que o silêncio caiu sobre a sala e o diretor executivo (assim como todos os demais) olhou para mim. E aí veio a resposta. "Puxa vida, Rich, eu havia me esquecido por completo de que hoje era Dia das Bruxas. Não tenho mais filhos pequenos em casa. Você precisa ir e se juntar à sua família. Amanhã de manhã eu o coloco a par do que aconteceu." Ufa! Agradeci a ele pela compreensão, levantei-me e saí da sala. Todos os outros permaneceram por mais duas horas.

Fiz uma escolha naquele dia. Foi uma escolha, porém, que eu havia feito anos antes — de que meu casamento, minha família e minha fé sempre teriam prioridade sobre meu trabalho. É claro que não cumpri isso com perfeição. Meus três milhões de milhas de viagens aéreas durante meu tempo na Visão Mundial me levaram a perder muitos jogos de futebol, recitais de clarineta e tempo me divertindo com meus filhos. Perdi até mesmo algumas consultas médicas cruciais de minha esposa a que eu deveria ter comparecido. Entretanto, minha atitude predominante era de que deveria lutar para encontrar o equilíbrio correto em minha vida, e essa luta era uma batalha contínua. Contudo, aprendi que, se você não estiver disposto a lutar por um equilíbrio saudável na vida, você não o conseguirá.

Quais são as suas nozes?

Renée utiliza uma metáfora em alguns de seus grupos de estudos bíblicos para mulheres a fim de ilustrar a ideia de como levar uma vida saudável e equilibrada em meio a muitas demandas em competição. Ela pega um pote de vidro, um pouco de arroz e cinco ou seis nozes. O pote representa uma quantidade finita de tempo que temos em nossa vida. As nozes representam as coisas grandes e importantes na vida para as quais precisamos criar tempo: o tempo de devoção com o Senhor, o casamento, os filhos, os amigos, o serviço a outros, o descanso, e assim por diante. O arroz representa todas as outras muitas tarefas que demandam nosso tempo.

Primeiro, ela coloca o arroz no pote. A seguir, tenta colocar todas as nozes. Como pode imaginar, nem todas as nozes cabem. Então ela inverte a ordem, colocando primeiro as nozes — os elementos mais importantes da vida — e depois o arroz. Agora tudo se encaixa, pois o arroz consegue penetrar em todos os espaços entre as nozes. O ponto fundamental é que você precisa começar com as nozes. O ideal seria que organizássemos nossa vida dessa maneira, começando com os itens de maior relevância. Entretanto, às vezes nem todas as nozes cabem, e isso cria tensão.

No ambiente de trabalho de hoje, onde a conectividade opera 24 horas por dia, sete dias por semana, estabelecer limites entre o trabalho e a vida é extremamente difícil. As pessoas de vinte e trinta anos hoje encaram um ambiente de trabalho bem diferente daquele que vivenciei no início de minha carreira. O trabalho segue você até em casa todos os dias, permanece com você nos fins de semana e até mesmo sai de férias junto com você. Muitas vezes espera-se que você esteja disponível a todas as horas do dia para responder a *e-mails*, mensagens e telefonemas. O resultado é que a linha separando vida e trabalho é borrada, o que se torna tanto estressante como prejudicial no longo prazo. Não há escolhas fáceis aqui. Se você trabalha nesse tipo de ambiente, precisa tentar estabelecer limites saudáveis. Às vezes, isso exige apenas que você faça escolhas mais saudáveis, mas se as demandas sobre você estão fora de seu controle, é necessário que tenha uma conversa difícil com seu chefe a respeito de sua carga de trabalho e expectativas a seu respeito. Talvez você se surpreenda e descubra que seu chefe é mais compreensível do que imagina. Bons chefes podem e devem ajudar a estabelecer limites saudáveis para as pessoas em sua equipe ao não exigir ou esperar que elas estejam disponíveis o tempo todo.

Obter um equilíbrio saudável entre a vida e o trabalho é ainda mais difícil para mulheres à luz da responsabilidade desproporcional tradicionalmente atribuída a elas em relação ao cuidado dos filhos e ao gerenciamento da casa. Segundo um estudo recente, as mulheres desempenham cerca de quatro horas de trabalho não remunerado na própria casa todos os dias em comparação com apenas duas horas e meia para os homens — ou seja, 60% mais.[1] De fato, as mulheres mantêm dois empregos exigentes, mas apenas um oferece salário. O resultado é que elas se esforçam ainda mais para manter qualquer aparência de equilíbrio na vida. Isso força que as mulheres tenham de fazer escolhas angustiantes.

Entretanto, um líder sensível a essas questões no local de trabalho é capaz de realizar acomodações razoáveis para os funcionários, sejam estes homens ou mulheres, que estiverem tentando equilibrar as exigências do local de trabalho com as demandas da família. Coisas simples como permitir que um funcionário chegue mais tarde caso necessite deixar os filhos na escola ou que trabalhe algumas horas em casa pode representar uma diferença enorme no aprimoramento do equilíbrio entre vida e trabalho. E os funcionários contemplados com essas considerações se revelarão menos estressados, mais produtivos e mais leais a um empregador que os valorize o suficiente para se importar com eles. Você também pode modelar um equilíbrio de vida saudável ao deixar o local de trabalho a um horário razoável, não responder a *e-mails* ou mensagens nos fins de semana e demonstrar a importância de uma vida saudável fora do ambiente de trabalho. Como líder, você tem tanto a oportunidade como a responsabilidade de ajudar sua equipe a administrar as tensões entre vida e trabalho de maneira satisfatória.

Escolhas difíceis

Obter um equilíbrio aceitável entre vida e trabalho provavelmente exigirá que você faça escolhas difíceis e estabeleça alguns limites firmes, mesmo que haja consequências. Quando eu tinha meus vinte e poucos anos de idade e trabalhava na Parker Brothers, Renée e eu nos oferecemos como voluntários para liderar o programa de recreação de crianças do ensino fundamental, chamado Descobridores, em nossa igreja. Esse programa ocorria nas sextas-feiras entre cinco e sete horas da noite, além de um sábado por mês. Por isso, eu precisava deixar o escritório todas as sextas-feiras às 16h30 para chegar lá a tempo.

Naquele ano, por ocasião de minha avaliação anual de desempenho, meu chefe me alertou que era improvável que eu fosse promovido, com base na opinião dele de que eu não demonstrava engajamento suficiente com o trabalho. Reagi com espanto, pois pensei que estava indo muito bem. Porém, ao escutá-lo, notei que a maioria de suas críticas não estava relacionada à qualidade de meu trabalho, mas à imagem que eu projetava para a administração sênior — minha barba não era profissional, minhas vestimentas não eram "adequadas ao cargo", e eu não socializava com as pessoas certas na sala de refeições. Em seguida, ele indicou que sair mais cedo nas sextas-feiras para um "lance de igreja" sugeria que eu não estava colocando meu trabalho em primeiro lugar. Conversamos sobre cada uma dessas questões, e prometi que melhoraria em relação aos itens que ele havia listado. Contudo, resolvi me arriscar e avisei que não desistiria do programa infantil na igreja. O trabalho voluntário na igreja era uma das minhas "nozes". Lembro-me de afirmar que, já que ambos trabalhávamos para uma empresa de brinquedos, era meio irônico que eu fosse criticado por trabalhar como voluntário com um grupo de crianças. Elas não eram nossos principais clientes?

Nos meses que se seguiram, raspei a barba, comprei alguns ternos novos, dediquei-me um pouco mais à política corporativa e consegui me posicionar de novo numa boa situação. No entanto, assumi o risco de continuar a participar do programa infantil na igreja todas as sextas-feiras. Alguns anos mais tarde, aquele chefe deixou a empresa, e fui promovido para a função dele. Embora minha história tenha tido um final feliz, a sua talvez seja diferente. E só você é capaz de decidir que linhas pode se dar ao luxo de traçar com base na realidade de seu local de trabalho e nas exigências de sua vida fora dele. Se você não traçar essas linhas, porém, nunca alcançará o equilíbrio correto em sua vida.

Há um posfácio para minha história sobre o ministério infantil. Quase quarenta anos mais tarde, fui convidado para pregar na igreja em que nosso filho Pete servia como pastor para jovens entre 11 e 15 anos. Quando as pessoas vieram oferecer seus cumprimentos a mim e a Renée após o serviço, um homem, que parecia ter uns cinquenta e poucos anos, se aproximou e perguntou se eu me lembrava dele. Por acaso, ele era um dos meninos daquele programa infantil que eu havia liderado em Boston tantos anos atrás. Ele havia crescido e se casado, e agora morava na região de Chicago. Contou-me que o filho dele era agora parte do grupo de jovens de Pete, e que Pete estava fazendo uma grande diferença na vida do filho. Uau! Nossos esforços de quase quarenta anos antes haviam agora completado o ciclo. As sementes que havíamos semeado haviam brotado. Eu havia traçado uma linha para proteger meu compromisso com a igreja, e disso Deus criou uma corrente que eu jamais teria imaginado.

O oposto do equilíbrio: o viciado em trabalho

Existe outro caso de equilíbrio deficiente entre vida e trabalho que não é imposto de maneira externa, mas autoimposto. O vício no trabalho é uma doença muito comum. Na cultura de alta pressão encontrada em muitos ambientes de trabalho hoje em dia, o viciado em trabalho se torna uma espécie de herói trágico. É a pessoa que sacrificará qualquer coisa pela causa. Entretanto, a causa costuma ser bastante mundana no panorama geral: vender mais, fortalecer uma marca ou — uma de minhas favoritas — aumentar o valor acionário.

Quando eu trabalhava na Lenox, vendendo louças e cristais finos àqueles que tinham dinheiro para adquiri-los, eu mantinha uma pequena placa sobre minha mesa com a frase: "Calma, são só pratos". Era uma tentativa de colocar nossas "crises" periódicas em perspectiva. Afinal, em nosso mundo há poucas emergências de verdade que envolvam louças finas. Como já mencionei, o outro lema que me orientava era "Isso também passará". Era importante compreender que a "crise" de hoje provavelmente nem seria mais lembrada dali a dez anos. No entanto, perder o campeonato de futebol da filha ou um aniversário do cônjuge, não uma vez mas repetidas vezes, terá consequências daqui a dez anos — e não serão boas.

O falecido senador Paul Tsongas, entre outros, foi creditado pela frase: "Ninguém em seu leito de morte já disse: quem dera eu tivesse passado mais tempo no escritório".[2] De algum modo, visualizar o próprio leito de morte traz clareza às decisões do dia a dia que tomamos em cada momento. Basicamente, os viciados em trabalho fazem um pacto com o diabo: trocam lucros de curto prazo no trabalho por tragédias de longo prazo na vida, ao se deixarem consumir pela "tirania da urgência".

O fundador da Visão Mundial, Bob Pierce, era viciado em trabalho. Ele se tornou tão focado e obcecado com a ideia de "realizar o trabalho do Senhor" ajudando os pobres que negligenciou outras partes importantes de sua vida. Em conversas com sua viúva, Lorraine, e a filha, Marilee, descobri o alto preço que a família pagou pelo comportamento obcecado dele. Elas me contaram que, por mais de vinte anos consecutivos, ele realizou viagens internacionais por nove meses de cada ano, com muitas dessas viagens durando meses. A exemplo de muitos de sua geração, Pierce era motivado por uma ânsia devoradora de estender a mão aos que estavam perdidos para Cristo e uma ampla visão de ajudar os pobres em nome de Jesus. Infelizmente, essa visão muitas vezes o deixou cego às necessidades daqueles que lhe eram mais próximos. E embora seus esforços tenham resultado na criação da Visão Mundial, uma organização que tem ajudado milhões de pessoas, isso teve consequências. Ele se afastou da esposa e da família, perdendo o casamento. E em 1967, dezessete anos após fundar a Visão Mundial, a diretoria da fundação pediu que ele se demitisse por causa de seu estilo de liderança cada vez mais errático. É trágico que a vida de Bob Pierce carecesse de qualquer vestígio de equilíbrio.

> Os viciados em trabalho fazem um pacto com o diabo: trocam lucros de curto prazo no trabalho por tragédias de longo prazo na vida.

Em meu primeiro ano liderando a Visão Mundial, fui sugado pelo mesmo tipo de comportamento obsessivo — passando longas horas no escritório e viajando o tempo todo. Eu justificava tudo da mesma forma como Bob Pierce havia feito, alegando que a vida e a alma das crianças estavam em jogo. Não se tratava só de pratos. Ao mesmo tempo, Renée tentava ajudar nossos cinco filhos a se ajustarem após terem deixado todos os amigos para trás e se mudado para uma nova comunidade e uma nova escola. Minha esposa e meus filhos precisavam muito de um marido e pai naquele momento, mas eu estava absorvido demais no trabalho para perceber isso. Por fim, Renée conversou comigo: "Só vou dizer isto uma vez. Nossos filhos precisam de um pai em tempo integral neste momento. Eles nunca serão capazes de competir com as crianças necessitadas ao redor do mundo, e não é justo esperar que o façam. Você precisa descobrir o modo de fazer seu trabalho e, ao mesmo tempo, ser pai de seus filhos". Ela estava certa, é claro, e quando refleti sobre isso me dei conta de que meu próprio vício no trabalho provinha de uma crença subjacente de que, de algum modo, Deus não conseguiria utilizar a Visão Mundial para seus propósitos a menos que eu estivesse lá para garantir que isso acontecesse. Eu precisava estar em todas as reuniões, viajar para me encontrar com cada doador, observar o trabalho em cada país e "cair de paraquedas" em cada desastre natural. E se eu não fizesse tudo isso, a obra de Deus talvez fracassasse.

Isso não era só arrogante, era um tipo de idolatria, a crença de que eu, de algum modo, era mais importante para a obra do que o próprio Deus. Essa aflição é comum em especial àqueles que se envolvem no ministério em tempo integral, e quero oferecer uma palavra de cautela para você se estiver servindo nessa competência. Não justifique seu comportamento obsessivo porque está "realizando a obra de Deus". Acredite se quiser, Deus e seu ministério podem ser bem-sucedidos sem você. E Deus não nos pede que abandonemos nossas outras responsabilidades importantes utilizando-o como desculpa.

Em minha opinião, o vício em trabalho é, em sua essência, uma forma de autoimportância, em que uma pessoa acredita que ninguém mais é capaz de fazer nada se ela não estiver envolvida, que nada que não tenha sido tocado pelas mãos dela terá sucesso. Essa atitude também envia uma mensagem terrível para a equipe que você lidera — que eles não são bons o suficiente para ter sucesso sem você. E seu mau exemplo os pressionará para que adotem seus hábitos prejudiciais de trabalho. Os melhores líderes impulsionam os talentos e habilidades de toda a equipe para que nenhum indivíduo tenha de arcar com uma parcela desmesurada do trabalho.

O líder equilibrado

O oposto do viciado em trabalho é o líder equilibrado. Por que é tão importante que um líder tenha equilíbrio em sua vida? Em primeiro lugar, é fundamental entender que equilíbrio significa muito mais do que apenas passar tempo com a família, embora isso seja crucial. Uma vida equilibrada é harmoniosa em múltiplos aspectos. Para que um líder demonstre seu melhor, ele precisa manter a mente lúcida, a estabilidade fora do local de trabalho, relacionamentos positivos com a família e amigos, e uma sensação de significado e propósito que não derive apenas do trabalho.

Para o líder cristão, o propósito e a identidade são encontrados primeiro em nosso relacionamento com Deus e em nossa função de conhecê-lo, amá-lo e servi-lo nesta vida. Como embaixadores de Cristo, temos uma missão em nosso local de trabalho. Isso significa que precisamos garantir o tempo apropriado para a adoração, as orações, as Escrituras, as devoções e o serviço. Essas atividades nos lembram de a quem pertencemos e nos conectam a um propósito e significado mais profundos de nosso trabalho.

Em Marcos 1, encontramos uma das muitas vezes que Jesus se afastou de seu trabalho para passar tempo em oração, reconectando-se com o Pai no céu: "No dia seguinte, antes do amanhecer, Jesus se levantou e foi a um lugar isolado para orar. Mais tarde, Simão e os outros saíram para procurá-lo. Quando o encontraram, disseram: 'Todos estão à sua procura!'" (Marcos 1.35-37). Devemos nos lembrar da tremenda pressão sobre a qual Jesus realizou sua obra. Ele havia se tornado uma figura pública visível com inúmeras pessoas o seguindo a todos os lugares. Apenas nesse capítulo, ele recrutou seus primeiros discípulos, expulsou demônios, curou diversas pessoas e pregou diante de grandes multidões. No capítulo seguinte, foi acusado de blasfêmia pelos líderes religiosos. E nós imaginamos que nosso emprego é estressante? Aqui e em outros pontos dos evangelhos somos informados, porém, de que Jesus se afastou do centro das atenções, partiu sozinho e passou algum tempo em oração e meditação com o Pai. Simão Pedro e outros discípulos se irritaram com ele quando o encontraram, exclamando: "Todos estão à sua procura!". Contudo, Jesus compreendia que sua missão era tão crítica que ele precisava de tempo para escapar das demandas que lhe recaiam para que ele pudesse se alinhar com os propósitos do Pai. Se estivermos fora de equilíbrio espiritualmente, todo o resto de nossa vida será afetado de maneira negativa. Nosso tempo com Deus talvez seja a "noz" mais importante em nosso pote.

> Uma vida equilibrada é harmoniosa em múltiplos aspectos.

Equilíbrio é também uma questão de perspectiva

A missão de alcançar o equilíbrio em nossa vida só começa com nosso "tempo com Deus". Ela também requer que arrumemos tempo para a família, as amizades, o serviço, a leitura, o descanso e a recreação. E esse tipo de diversificação de nossa vida traz outro benefício importante para os líderes: ela nos oferece uma perspectiva mais ampla. Se nossa vida for nosso trabalho e nosso trabalho for nossa vida, viveremos num mundo muito pequeno. É fácil perder a perspectiva do panorama mais geral e de nosso propósito mais elevado quando mergulhamos numa visão tubular, focada exclusivamente no trabalho.

Você talvez se surpreenda ao encontrar a leitura em minha lista de atividades necessárias para uma vida equilibrada. Quero falar um pouco mais sobre isso, pois passei a acreditar que ser um leitor ávido é algo que aprimora todos os líderes. O presidente Harry Truman afirmou certa vez: "Nem todos os leitores são líderes, mas todos os líderes são leitores".[3] Warren Buffet passa de cinco a seis horas por dia lendo cinco jornais e quinhentas páginas de relatórios corporativos. Bill Gates lê cinquenta livros por ano. Mark Zuckerberg lê pelo menos um livro a cada duas semanas. Elon Musk cresceu lendo dois livros por dia.[4]

> Se estivermos fora de equilíbrio espiritualmente, todo o resto de nossa vida será afetado de maneira negativa.

Investir tempo precioso na leitura abre um mundo novo de sabedoria e experiências além do seu próprio. E não estou falando apenas de ler livros sobre liderança! Durante minha carreira, tentei ler uma ampla gama de gêneros que incluía romances, biografias, não ficção histórica, suspense, clássicos e alguns jornais. Em certo ano, li *Moby Dick*, *Frankenstein*, biografias de Winston Churchill e Steve Jobs, vários bons romances contemporâneos, alguns livros do teólogo N. T. Wright, e um livro do jornalista Malcolm Gladwell.

Alguns de vocês devem estar protestando, dizendo que não têm tempo para ler. Eu me sentia assim também até descobrir que podia escutar *audiobooks* ou *podcasts* no caminho entre minha casa e o trabalho, em aviões, enquanto me exercitava ou realizava trabalhos em casa. É uma maneira excelente de redimir o tempo que você passa realizando tarefas que, de outro modo, seriam rotineiras. E hoje em dia, quase tudo se encontra disponível em áudio, inclusive os principais jornais.

A leitura pode torná-lo um líder melhor porque exercita "músculos" diferentes em seu cérebro. Ela lhe fornece uma perspectiva e um quadro de referência muito mais amplos com os quais você conseguirá processar melhor as situações no trabalho. A leitura também é um aprendizado para a vida inteira, e o tornará um aluno melhor, um professor melhor e uma pessoa mais interessante com quem se conversar. Por último, a leitura é uma forma de escapar e se afastar das pressões do ambiente de trabalho. Eu não saberia dizer quantas vezes me sentei na garagem por alguns minutos a mais ao voltar para casa do trabalho porque o livro que eu estava escutando no carro era muitíssimo envolvente. Isso me ajudou a me desligar e deixar os aborrecimentos do dia para trás para que conseguisse estar mais presente junto à família em casa.

Uma perspectiva mais equilibrada afeta o modo como enxergamos o mundo e como nosso trabalho se encaixa nas outras dimensões da vida. Os líderes mais esclarecidos, com uma perspectiva mais ampla da vida e do trabalho, acabam por se mostrar mais positivos e produtivos e tomam decisões melhores. Uma vida bem organizada é como lastro no porão de um navio. Fornece estabilidade e segurança, em especial em meio a águas turbulentas.

Para que um líder demonstre o melhor de si, precisa manter a mente aberta, estabilidade fora do local de trabalho, relacionamentos positivos com a família e os amigos, e um senso de significado e propósito que não derive apenas de trabalho. Deus nos convoca como líderes a fim de modelar a vida abundante. Como afirmou Jesus: "Eu vim para lhes dar vida, uma vida plena, que satisfaz" (João 10.10).

16
Humor
Se não rimos, choramos

ESCRITURAS →
"Há um momento certo para tudo,
um tempo para cada atividade debaixo do céu. [...]
Tempo de chorar, e tempo de rir;
tempo de se entristecer, e tempo de dançar" (Eclesiastes 3.1,4).

PRINCÍPIO DE LIDERANÇA → O líder que emprega bem o humor possui uma ferramenta poderosa para modelar a cultura, dissipar tensões, aliviar o estresse e levar uma perspectiva saudável aos desafios do local de trabalho. O humor é um presente que você pode oferecer àqueles que lidera.

O senso de humor é parte da arte da liderança, de se dar bem com as pessoas, de se fazer bem as coisas.
DWIGHT D. EISENHOWER

O senso de humor é o antídoto de Deus para a raiva e a frustração.
RICK WARREN

Era uma reunião importantíssima marcada para as nove horas da manhã. Os manda-chuvas da loja de brinquedos Toys "R" Us estavam reunidos no *showroom* da Parker Brothers na feira de brinquedos de Nova York para efetuar os compromissos de compra para o outono. Eles eram nossos maiores clientes, e aquela era nossa oportunidade de vender nossa nova linha de produtos. Entretanto, nosso jogador principal — Dick, meu chefe e vice-presidente de *marketing*, que deveria conduzir a reunião — não apareceu. Eu e alguns dos outros gerentes de nível inferior aguardávamos nervosos a chegada do chefe enquanto os executivos da Toys "R" Us checavam o relógio com impaciência. Então, alguém abriu a porta da sala de conferências e me passou um bilhete. Era uma mensagem de Dick. Ele havia deparado com um contratempo incontornável e levaria pelo menos meia hora para chegar. Eu deveria começar a reunião sem ele. Assim, pedi desculpas a nossos convidados e passei a apresentar nossa nova linha de produtos de outono para nosso maior cliente.

Quando Dick finalmente chegou, a reunião havia terminado e os compradores da Toys "R" Us haviam partido. Não comparecer a reunião com nosso maior cliente havia sido uma gafe monumental, e os outros vice-presidentes não estavam satisfeitos. Dick chegou suado e ruborizado e nos contou sua história infeliz. O hotel onde estávamos hospedados contava com um serviço noturno de lustrar sapatos. Se você deixasse os sapatos junto à porta do lado de fora do quarto à noite, os funcionários do hotel os lustrariam e os devolveriam antes do amanhecer. No entanto, os sapatos de Dick não haviam sido devolvidos e eram o único par que ele havia trazido. Era inverno, e ele não tinha como comparecer à reunião de meias. E as lojas de sapato não abriam antes das nove horas da manhã. Por isso ele deu algum dinheiro a um dos funcionários do hotel e o enviou para comprar um par de sapatos sociais pretos de tamanho 43 no instante em que a loja abrisse. Quando enfim os sapatos chegaram, ele atravessou a cidade correndo, na esperança de se juntar a reunião em andamento. Mas era tarde demais.

Era óbvio que Dick estava transtornado e a sala, tensa; mas, de algum modo, consegui encontrar algum humor na situação. Impulsivamente, estendi a mão por debaixo da mesa, descalcei meus sapatos pretos de tamanho 43, bem similares aos dele, e os empurrei na direção de Dick. Fingindo remorsos, eu disse: "Dick, sinto muito. Eu não deveria ter levado os seus sapatos. Foi uma pegadinha péssima. Não me dei conta dos problemas que iria causar". Ouvi um arfar audível em torno da mesa. Dick me fitou de olhos arregalados com uma mistura de descrença e fúria. E então... ele percebeu que eu estava brincando. Todos na sala, inclusive Dick, caíram na gargalhada, e o ânimo passou de sombrio a hilário enquanto todos ríamos juntos. A seguir, revisamos o que havia acontecido na reunião e prosseguimos com nosso dia — a crise havia passado.

O humor é uma ferramenta poderosa no arsenal de um líder. Cria camaradagem e espírito de equipe. Em meio a dificuldades, pode trazer alívio e uma perspectiva mais saudável. Ele nos ajuda a encarar nossos desafios mais complicados sem desespero. O poeta Lord Byron aconselhou: "Ria sempre que puder. É um remédio barato".¹ E é mesmo um remédio. Estudos médicos já demonstraram que o riso produz efeitos químicos em nosso corpo que reduzem a dor, diminuem o estresse e até fortalecem o sistema imunológico.² O humor nos ajuda a colocar problemas e situações difíceis em perspectiva. Ele nos fornece um mecanismo para lidar com momentos em que nos sentimos sobrecarregados por algo que acontece em nossa vida. E para você, como líder, o humor é um presente que pode oferecer àqueles que lidera.

O líder que faz uso do humor deixa os outros à vontade. Em uma reunião na qual as pessoas não se conhecem bem o humor pode quebrar o gelo, pois toca algo que é universal em nossa experiência humana. Uma equipe que ri junta terá muito mais disposição de espírito para trabalhar junta com confiança e propósito compartilhado.

O humor transpõe até abismos culturais. Eu me lembro de conhecer uma bisavó africana chamada Finedia na Zâmbia. Finedia criava sozinha sua única bisneta, pois todos os filhos *e* netos haviam morrido de AIDS. A situação dela era trágica. E lá entrei eu, um homem branco alto dos Estados Unidos que não poderia ser mais diferente dela, em sua cabana mísera de barro e palha. Contudo, Finedia e eu tínhamos algo em comum — ambos tínhamos os cabelos completamente brancos. Ergui a mão e toquei meus próprios cabelos; em seguida, toquei os dela e comentei por meio de nosso tradutor: "Somos iguais. Ambos temos cabelos brancos, e a Bíblia nos diz que cabelos brancos são uma coroa de glória!". Finedia presenteou-me com um largo sorriso e soltamos uma risada sincera. Depois disso, ficamos amigos e conversamos bastante sobre a família dela, a tristeza que vivenciou e a preciosa bisneta, Maggie. Victor Borge tinha razão ao afirmar: "O riso é a distância mais curta entre duas pessoas".³

> Uma equipe que ri junta terá muito mais disposição de espírito para trabalhar junta.

Creio que Jesus gostava de rir

Quando lemos os evangelhos, não encontramos muitas referências a Jesus rindo ou fazendo com que outros rissem. Porém, desconfio que isso seja porque escrever com humor no primeiro século, em especial sobre um assunto tão sério, teria sido inapropriado sob o aspecto cultural. Contudo, os evangelhos pintam um retrato de Jesus como uma pessoa calorosa e acolhedora. Seu primeiro milagre foi transformar água em vinho em um casamento. Todo aquele episódio demonstrava sua inclinação à ironia — o Filho de Deus utilizando seus poderes para que uma festa continuasse! E ele participava com regularidade de banquetes e festas, muitas vezes provocando críticas dos líderes religiosos. Ele cantava e contava histórias para as pessoas que se reuniam em torno quando lhes ensinava sobre Deus. Empregava a hipérbole ao pedir às pessoas que não tirassem o cisco do olho do próximo antes de remover o tronco de seus próprios. E imaginar aquele camelo tentando passar pelo buraco de uma agulha deve ter provocado algumas gargalhadas. Jesus também dava as boas-vindas às crianças junto a si. Ao alimentar cinco mil pessoas, ele pregou um jogo mental em seus discípulos ranzinzas, que se queixavam da impraticabilidade de alimentar tantas pessoas. Por isso Jesus tomou o lanche de um rapaz e o multiplicou para alimentar a multidão. O remate da piada veio quando ele pediu aos discípulos que coletassem as sobras: doze cestos, uma lembrancinha para cada um dos discípulos incrédulos. Creio que Jesus deve ter rido disso. Não tenho nenhuma dúvida de que Jesus, a despeito da seriedade de sua missão, também tinha uma atitude calorosa, acolhedora e animada quando se socializava com as pessoas todos os dias.

Rindo no trabalho

Entretanto, também devemos ter cuidado com o humor. O humor no local de trabalho precisa ser gentil e não mordaz. E, como cristão, você deve resistir à tentação de cair no humor e na linguagem rude e vulgar que caracteriza a maioria dos locais seculares de trabalho. Ceder a esse tipo de rudeza sabotará todos os seus esforços para demonstrar o caráter de Cristo a seus colegas.

> O humor no local de trabalho precisa ser gentil e não mordaz.

O humor pode elevar os ânimos, mas também pode ser transformado em arma para ferir as pessoas. Lembro-me de que, pouco tempo depois de ter me casado, eu contava piadas ao grupo de estudos bíblicos para casais de que Renée e eu participávamos, arrancando risos às vezes às custas de minha esposa. Numa daquelas noites, ao chegarmos em casa, ela se mostrou terrivelmente decepcionada comigo. "Você se acha engraçado, mas quando suas piadas são sobre mim, elas me magoam.

Não quero ser seu saco de pancadas." Aquela foi uma lição poderosa. Se você utiliza o humor para embaraçar ou humilhar um colega, o efeito pode ser devastador, em especial se você for o chefe. Faça piadas sobre a situação ou as circunstâncias em que sua equipe se encontra. Seu humor deve ser bondoso. Ainda melhor é quando um líder zomba de si mesmo e demonstra que não se leva a sério demais.

O "Sudário de Turim"

Lembro-me de cometer um erro ridículo em uma viagem para Nashville, onde encontraria o governador do Tennessee e discursaria para 1.800 líderes de igreja. Eu havia viajado de Seattle e apanhado um Uber no aeroporto para me levar ao centro de convenções. Estava atrasado e mal chegaria a tempo do encontro com o governador. Porém, em vez de dizer ao motorista que me levasse ao centro de convenções na Quinta Avenida, eu lhe disse Quinta Rua, que se situa em uma parte completamente diferente da cidade. Por isso, quando corrigimos o percurso e cheguei por fim ao centro de convenções, corri de encontro à entrada do prédio — *literalmente*. A enorme parede de vidro na entrada me pareceu ser uma passagem aberta, e corri direto contra o vidro! Foi como quando um pássaro voa contra uma janela — *bam!* Em velocidade de abalroamento, colidi com o vidro de cara e fui jogado um metro para trás, deixando cair tudo que eu carregava. Fiquei tonto. As pessoas que testemunharam aquilo vieram às pressas para ver se eu estava bem. Fingi que não era nada demais e abanei para que se afastassem. Meu nariz e rosto estavam dormentes e minha cabeça latejava, mas o governador estava esperando, portanto subi pela escada rolante e me dirigi à área do encontro. No entanto, o centro de convenções era imenso, e eu não fazia ideia de onde a sala de reunião estava localizada. Desse modo, no topo da escada rolante, pedi a alguém que me desse uma direção. A pessoa me olhou com inquietação e perguntou: "O senhor está bem? Seu nariz está sangrando". Ah, que maravilha! Consegui encontrar um banheiro e me olhei no espelho. A ponte de meu nariz havia se aberto, e o sangue jorrava. Meu rosto inteiro estava vermelho e inchado por causa do impacto — com certeza eu não estava pronto para aparecer em público.

> O humor pode elevar os ânimos, mas também pode ser transformado em arma para ferir as pessoas.

Uma dezena de papéis-toalha mais tarde, eu havia me limpado o melhor possível e subi pela próxima escada rolante, apertando uma compressa molhada contra meu nariz. No topo dos degraus, uma equipe da Visão Mundial me aguardava. Aí surgiu o chefe com o rosto inchado, o nariz vermelho e sangrando, e um olhar bem desorientado. "O que aconteceu com você?", eles me perguntaram. Creio que respondi: "Você deveria ver como ficou o outro cara". Então expliquei o que havia acontecido. Quando lhes contei que eu tinha certeza de que havia deixado uma impressão de meu rosto semelhante ao "Sudário de Turim" no painel de vidro, todos começamos a rir de meu infortúnio. Pediram que alguém fosse comprar curativos e me levaram até o governador. E, sim, tive de contar ao governador a história toda também. Quando todos nós deixamos o centro de convenções naquela noite, passamos pela cena do crime e, de fato, havia no vidro uma impressão clara e oleosa de meus olhos, nariz e boca retorcidas em uma careta de surpresa e dor. O Sudário de Turim, com certeza. Todos começaram a rir de novo, e um deles até tirou uma foto da impressão para compartilhar nas redes sociais. Na semana seguinte, ainda coberto de curativos, contei a história em nossa capela semanal, e todos deram boas risadas às minhas custas.

> O humor autodepreciativo torna um líder mais humano.

O humor autodepreciativo torna um líder mais humano e acessível, e facilita o relacionamento entre ele e os membros da equipe. Na maioria dos anos em que trabalhei na Visão Mundial, eu me vestia como Papai Noel, com barba e tudo, antes do Natal. Percorria todos os prédios, distribuindo biscoitos de Natal e levando alguma alegria. Para obter o melhor efeito, eu calçava "sapatinhos de rubi" — sapatos que minha assistente havia coberto com purpurina vermelha — e óculos vermelhos em forma de estrela no estilo de Elton John. Eu era acompanhado em minhas rondas por alguns membros da equipe sênior, que eu forçava a se fantasiarem de elfos. Muitos na equipe queriam *selfies* com Papai Noel e os elfos, o que garantia às pessoas uma boa risada durante nossa temporada mais ocupada e estressante de arrecadação de fundos.

Riamos bastante durante meus anos na liderança da Visão Mundial. É irônico, porém, que uma de minhas preocupações originais acerca de aceitar o cargo vinte anos antes foi a ideia de ter de abandonar meu senso de humor. O humor era uma parte tão integral de meu estilo de liderança que eu sentia que morreria em um ambiente que fosse sempre de uma seriedade mortal. Em uma organização que precisa enfrentar todos os dias a pobreza, o sofrimento e a tragédia, eu imaginava uma cultura carente de humor em que o riso seria inapropriado. Contudo, eu estava enganado. Era o exato oposto. Em um ministério que enfrentava o sofrimento humano todos os dias, o riso era desesperadamente necessário. É uma terapia. É restaurador. As pessoas estavam famintas por uma risada ocasional que trouxesse o alívio de que precisavam.

Todas as semanas, quando eu abria nosso serviço na capela com diversos anúncios, eu sempre tentava elevar os ânimos de todos com um pouco de humor. Meus cinco minutos de "comédia" se tornaram algo a que as pessoas ansiavam por assistir. Aquilo nos unia — centenas de nós reunidos em um grande salão. Tínhamos uma missão séria, e todos precisavam de uma folga do fardo que carregavam. Diz-se que, às vezes, se não rimos, choramos. E em meio ao estresse ou luto ou circunstâncias difíceis, um pouco de leveza pode confortar as pessoas com quem você trabalha. Martinho Lutero, aquele cara sério que deu início à Reforma Protestante e rompeu com a Igreja Católica, não era conhecido por seu senso de humor. Entretanto, escute o que ele declarou certa vez: "Se não me for permitido rir no paraíso, não quero ir para lá".[4] Eu não poderia concordar mais.

17
Encorajamento
Muito bem, servo bom e fiel

ESCRITURAS → "Portanto, animem e edifiquem uns aos outros, como têm feito. Irmãos, honrem seus líderes na obra do Senhor. Eles trabalham arduamente entre vocês e lhes dão orientações. Tenham grande respeito e amor sincero por eles, por causa do trabalho que realizam. E vivam em paz uns com os outros" (1Tessalonicenses 5.11-13).

PRINCÍPIO DE LIDERANÇA → O líder que entende o poder do encorajamento e do incentivo obterá um retorno imenso do que investe, na forma de melhorias em desempenho, motivação e lealdade.

Em nosso mundo pós-moderno, as pessoas vêm sendo tratadas como números, como partes substituíveis, como algo na planilha de outro, um programa, um nome na tela. Elas anseiam por serem notadas, valorizadas, por alguém que lhes preste atenção.
LEIGHTON FORD

*Trate um homem como ele é, e ele permanecerá como é.
Trate um homem como ele pode e deveria ser, e ele se tornará
o que ele pode e deveria ser.*
STEPHEN R. COVEY

Comecei a jogar golfe na adolescência com um saco de tacos baratos que comprei no supermercado. Embora nunca tivesse sido um bom jogador, não podia culpar os tacos; era o arqueiro que era fraco, não o arco e flecha. No entanto, o golfe era uma atividade divertida para realizar fora de casa com os amigos, por isso jogávamos no campo público sempre que podíamos durante o verão. Minha tacada revelava uma longa lista de falhas mecânicas, mas meu sintoma habitual era um desvio perverso e consistente na hora de dar a tacada. Todos os meus *drivers* se curvavam de forma acentuada para a direita, em geral para dentro do mato, uma *fairway* adjacente, ou um lago. Aprendi a berrar automaticamente "Bola!" assim que fazia a tacada. Aquela era a única parte de meu jogo de golfe com a qual eu sempre podia contar. É claro que nunca me ocorreu ter aulas com um jogador mais experiente para ver se aquele desvio na tacada poderia ser corrigido.

Lá pelos meus quarenta e poucos anos — trinta anos tarde demais — tive uma aula. O instrutor me pediu para bater algumas bolas e percebeu de imediato meu desvio. "Há quanto tempo você tem esse desvio?", perguntou ele. "Na prática, desde a primeira vez que segurei em um taco", respondi. O instrutor me passou um pino de golfe e sugeriu: "Coloque esse pino embaixo da axila esquerda e o mantenha aí. Quando der a tacada, tente não deixar o pino cair". Meus próximos cinco lances correram direto pela *fairway*. Esse truque simples havia corrigido meu problema ao me forçar a rotacionar o corpo todo durante a tacada, atingindo assim a bola por completo sem o temível giro que mandava meus *drivers* desembestados para a direita. Se ao menos eu tivesse aprendido esse truque simples trinta anos antes... Quem sabe eu poderia ter me tornado um jogador profissional de golfe!

Um aspecto infeliz sobre a sabedoria é que, quando você enfim a adquire, muitas vezes é tarde demais para fazer alguma diferença. Um amigo meu, diretor executivo, hoje com seus oitenta anos, me revelou sua opinião de que ele hoje sabe a maioria das respostas, mas que infelizmente ninguém mais lhe faz nenhuma pergunta.

Quando falo sobre as questões ligadas à liderança de hoje, às vezes me perguntam o que teria feito de diferente em minha carreira se eu soubesse no início o que sei hoje. Há algumas coisas que eu poderia listar em resposta, mas a principal é esta: gostaria de ter compreendido melhor o poder do encorajamento para motivar os outros, elevar o desempenho e ajudar as pessoas ao redor a compreender o potencial total que Deus lhes concedeu. Essa dica simples poderia ter melhorado minha "tacada de liderança" e me mantido longe de alguns matos e lagos. Os melhores líderes sabem que são o encorajamento e o incentivo regulares, e não as críticas, que ajudam as pessoas na equipe a desenvolver a autoconfiança, aprimorar o desempenho e se apoiar em seus dons e habilidades. O encorajamento energiza as pessoas, enquanto as críticas muitas vezes as põem para baixo.

Isso não deveria ser nenhuma surpresa. Se você tem filhos, é provável que faça isso naturalmente. Quando o Jonny é aceito pelo time de futebol da escola, elogiamos suas habilidades atléticas. Quando a pequena Susie tira a nota máxima em matemática, comentamos que algum dia ela poderá se tornar uma grande cientista ou engenheira. Dizemos essas coisas a nossos filhos porque queremos que eles vejam o que é possível. Queremos que entendam e desenvolvam seus dons e talentos e passem a confiar em si mesmos.

> O encorajamento energiza as pessoas, enquanto as críticas muitas vezes as põem para baixo.

Quando a maioria de nós pensa por que razão nossa vida se tornou o que é, em geral relembramos os momentos em que um pouco de encorajamento positivo representou uma diferença enorme para nossa autoconfiança. Entretanto, o corolário também é verdade. Também houve momentos de críticas severas de um professor, pai ou chefe que devastaram nossa autoestima e causaram grandes danos.

O crítico e o encorajador

No capítulo 5, escrevi sobre como deixei meu primeiro emprego depois da escola de administração, na Gilette, para ir para a Parker Brothers. Esse episódio me ensinou muito sobre confiar em Deus. No entanto, deixe-me contar alguns detalhes a mais sobre essa história, pois ela também me ensinou uma lição profunda a respeito do encorajamento.

Por causa de meu histórico familiar, entrar na cultura corporativa da Fortune 500 na Gilette era algo estranho para mim, como se eu tivesse me mudado para a Etiópia. A maioria de meus colegas possuía diplomas de MBA de Harvard, Wharton ou Stanford, e provinham de famílias profissionais. Haviam crescido em meio à afluência e sido educados para se tornar capitães da indústria. Meu pai, por outro lado, estudou até a oitava série e vendia carros usados. Minha mãe era arquivista e jamais concluiu o ensino médio. Assim, eu estava despreparado para a vida corporativa e era um pouco tosco.

Quando fui contratado pela Gillette, fui informado de que, após meu primeiro ano na organização, eu poderia me transferir do departamento de vendas para o de *marketing* a fim de me juntar a uma das equipes de *marketing* de marcas. Sendo essa área meu primeiro amor, após dezoito meses no cargo eu me dirigi até o setor de recursos humanos e perguntei como poderia fazer para que a transferência acontecesse. O vice-presidente de recursos humanos, Walter, respondeu que ele providenciaria algumas entrevistas para mim com os diretores de *marketing*. Alguns dias depois dessas entrevistas, Walter me chamou. "Rich, receio que *marketing* não esteja no seu futuro. Os diretores de *marketing* não acham que você tenha o que é necessário para ser bem-sucedido em gerenciamento de marcas. Mas você ainda pode ter uma bela carreira em vendas." Fiquei desolado. Pelo jeito, haviam percebido meu lado tosco. Eu tinha 25 anos de idade, e meu sonho já havia sido destruído. Nas semanas seguintes, atualizei meu currículo e comecei a procurar emprego na área de *marketing* em empresas diferentes. Como contei no capítulo 5, enviei meu currículo apenas uma vez, em resposta a um anúncio da Parker Brothers Games para um emprego para iniciantes em *marketing*. Eu me inscrevi, fui chamado para entrevistas e, duas semanas mais tarde, consegui o emprego! Senti-me nas nuvens.

Na semana seguinte, retornei ao escritório de Walter para avisá-lo de minha demissão, explicando que na Parker Brothers eu poderia trabalhar em *marketing*. Suas palavras de despedida foram o oposto de encorajamento. "Rich, você está cometendo um grande erro. Você não tem o necessário para trabalhar em *marketing* e, além disso, esse é um jogo para jovens, e você já está dois anos atrás de seus colegas. Você vai se arrepender disso." Eu não tenho o necessário? Um jogo de jovens? Vinte e cinco anos já me tornavam velho demais para mudar de emprego? De novo me senti desanimado e, em segredo, me perguntei se talvez ele estivesse certo; talvez eu não tivesse o necessário. Comecei a duvidar de mim mesmo.

Mesmo assim, duas semanas mais tarde, apresentei-me para o trabalho na Parker Brothers, pronto para dar o melhor de mim. Para minha sorte, Ed, meu novo chefe, se revelou um encorajador. Ele me passou muitas tarefas diferentes para as quais, para ser franco, eu não estava preparado, garantindo-me que eu conseguiria desvendá-las. Quando levei a ele parte de meu progresso inicial, ele me elogiou com entusiasmo, fez algumas perguntas adicionais e me mandou correr atrás das respostas. Quando eu terminava uma tarefa, ele me dava algo mais difícil para fazer. Ele me ajudou a acreditar que não havia nada que eu não conseguiria realizar.

Quando tivemos de filmar um comercial para a televisão em Nova York para um de nossos novos jogos, ele me levou com ele para aprender. Aquilo abriu um novo mundo para mim à medida que eu via como todo o processo se desenrolava. Algumas semanas mais tarde, precisamos filmar outro comercial para nosso novo jogo de palavras, Parole, e ele me disse que eu poderia assumir a liderança e fazê-lo sem ele. "Está falando sério?", perguntei. Uma filmagem de comercial envolvia centenas de milhares de dólares e dezenas de pessoas de uma agência de propaganda e a empresa de produção. Eu tinha 25 anos de idade! "Claro, você consegue", garantiu ele. "Tenho observado você, e você tem o necessário. Sem problemas. Telefone para mim se precisar de algo." Assim, viajei para Nova York e gerenciei toda a filmagem do comercial de televisão do Parole, que ainda hoje é um campeão de vendas.

Você percebe a diferença entre Walter e Ed? Walter era crítico, enquanto Ed era encorajador. Walter se concentrou em por que eu não conseguiria ter sucesso, enquanto Ed me ajudou a acreditar que eu poderia ter. E aquilo fez toda a diferença.

Stephen Covey afirmou certa vez: "Trate um homem como ele é, e ele permanecerá como é. Trate um homem como ele pode e deveria ser, e ele se tornará o que ele pode e deveria ser".[1] Ed me ajudou a me tornar tudo que eu poderia ser. Ele me ajudou a perceber o potencial que Deus me concedeu. Para minha infelicidade, só pude trabalhar para Ed por dois anos antes de ele partir para um cargo diferente, mas, cinco anos depois de sua partida, fui nomeado presidente da Parker Brothers. Em minha mente, ainda credito Ed por ter sido aquele que me mostrou o que era possível.

Essa história possui um posfácio delicioso. Cerca de quinze anos mais tarde, quando eu era presidente da Lenox, recebi um telefonema de um recrutador de executivos. Ele disse que seu nome era Walter. Você já percebeu — o mesmo Walter de meus dias na Gillette, que era agora recrutador de talentos. Depois de se apresentar, ele me contou que achava que eu seria o nome perfeito para um cargo de diretor executivo que ele estava tentando preencher. Ele me lisonjeou com alguns comentários sobre meu currículo e histórico excelentes, então mencionou que nós havíamos aparentemente trabalhado na Gilette na mesma época, mas que ele não se recordava de mim. "Deixe-me refrescar a sua memória", repliquei. E recontei a história de como ele afirmou que eu não servia para a área de *marketing*, que eu não tinha o que era necessário para ser bem-sucedido e que eu estava cometendo um grande erro. Ele pareceu atrapalhado e admitiu com timidez que talvez houvesse se enganado em sua avaliação inicial. Ele então ainda teve a audácia de tentar me persuadir a concorrer ao emprego que ele estava tentando preencher. "Não, Walter, acho que não", eu disse. "É provável que eu não esteja à altura desse emprego também." Não é comum na vida que se tenha a oportunidade de ter a última gargalhada. Devo admitir, aquilo me encheu de satisfação.

A cenoura e o bastão

O ponto de partida para entender o poder do encorajamento no ambiente de trabalho consiste em como vemos as pessoas com que trabalhamos. Se nós as vemos apenas como "recursos humanos", "efetivos" ou "equivalente a tempo integral" — termos horríveis para pessoas criadas à imagem de Deus — deixamos lamentavelmente de compreender seu significado e potencial. Contudo, se nós as vemos como seres únicos e maravilhosos com atributos e qualidades que lhes foram concedidos pelo Criador, começamos a desencadear as habilidades impressionantes que Deus lhes conferiu.

A função principal de um líder é ajudar a desenvolver as habilidades singulares de cada membro de sua equipe para que consigam alcançar seu potencial pleno. O papel de um treinador é semelhante — ajudar cada jogador a aperfeiçoar as habilidades concedidas por Deus para então amalgamar todos esses talentos individuais e formar uma equipe eficiente. Quando você adota essa perspectiva de seus colegas, o encorajamento flui com maior naturalidade de seus lábios.

Em contrapartida, se você olha para seus colegas pelo prisma das deficiências deles, sua tendência sempre será de criticá-los a fim de aprimorar o desempenho. Como líder, tente ver o lado positivo das pessoas ao redor e lhes oferecer o benefício da dúvida. O encorajamento é uma questão de utilizar a cenoura com mais frequência do que o bastão.

Em Provérbios, encontramos estas antigas pérolas de sabedoria:

> Os comentários de algumas pessoas ferem,
>   mas as palavras dos sábios trazem cura.

Provérbios 12.18

> Da mente sábia vêm conselhos sábios;
>   as palavras dos sábios são convincentes.
> Palavras bondosas são como mel:
>   doces para a alma e saudáveis para o corpo.

Provérbios 16.23-24

Palavras que ferem ou palavras bondosas como mel, palavras críticas ou palavras encorajadoras. Em meus diversos papéis de liderança no decorrer dos anos, muitas vezes caí na atitude crítica ao gerenciar meu pessoal. A avaliação anual de desempenho era a ocasião de indicar fraquezas — aspectos que poderiam ter sido melhores. No entanto, à medida que me tornei mais velho e mais sábio, comecei a entender que era melhor começar elogiando tudo que uma pessoa havia feito de bom. A crítica tem sua função, mas é muito melhor recebida quando envolta em elogios. É mais provável que a maioria de nós aceite críticas quando estas vierem estruturadas dentro do contexto de nossas qualidades positivas.

> É mais provável que a maioria de nós aceite críticas quando estas vierem estruturadas dentro do contexto de nossas qualidades positivas.

Considere estes dois treinadores diferentes de atletismo falando a um membro da equipe de revezamento 4 x 400 metros rasos do ensino médio logo após uma corrida:

Treinador 1: "Perdemos a corrida porque você se atrapalhou na passagem do bastão. Se não resolver isso, nunca nos classificaremos para o campeonato estadual".

Treinador 2: "Essa foi uma das melhores voltas de revezamento que você já correu. Se conseguir deixar a passagem do bastão um pouco mais suave, acredito que possamos vencer o campeonato estadual".

Para qual treinador você quer correr? Quando você, como líder, enfatiza e elogia os atributos e comportamentos positivos, seu colega sairá da conversa energizado e encorajado, com maior confiança nas próprias habilidades de contribuir para a equipe. Nas palavras de Mary Poppins: "Uma colherada só de açúcar ajuda a engolir o remédio da maneira mais deliciosa".[2]

O bastão

O que fazer quando alguém em sua equipe demonstra regularmente a incapacidade de cumprir responsabilidades apesar de seu encorajamento e incentivo? É ingênuo pensar que todos os membros da equipe sempre terão sucesso, e às vezes um líder deve tomar a decisão difícil de remover alguém do emprego. Esse nunca é um passo fácil de dar, pois a subsistência de alguém está em jogo. Despedir uma pessoa é uma das coisas mais difíceis que um líder realiza. E descobri que é ainda mais difícil para líderes que trabalham no ministério cristão. Despedir alguém com quem você ora e serve todos os dias é uma tarefa horrível. E igrejas e organizações cristãs são mais suscetíveis a fugir dessas decisões pessoais complicadas, mesmo quando são necessárias para a saúde do ministério.

É natural que queiramos evitar magoar os outros. Na verdade, porém, remover uma pessoa de uma função na qual ela é incapaz de ter sucesso talvez seja o melhor para ela no longo prazo. Quando vejo alguém fracassando em seu trabalho a despeito de seus melhores esforços, gosto de dizer: "Não existem pessoas ruins, apenas boas pessoas no emprego errado". E embora isso não seja de todo verdade (existem algumas pessoas más com atitudes ruins), é muitas vezes verdade. Aquela pessoa que está fracassando no emprego atual poderia ter sucesso em uma função diferente que esteja mais bem alinhada com seu histórico e suas habilidades singulares. Mantê-la em um emprego onde não consegue ter sucesso a prejudica. Em minha experiência, alguém que está se afogando no emprego sabe que está se afogando, e ajudá-lo a enfrentar esse fato pode ser como lhe lançar um colete salva-vidas.

Na época em que eu trabalhava na Lenox, havia um vice-presidente de *marketing* chamado Jason que estava enfrentando dificuldades. Ele vinha exercendo aquela função por muitos anos enquanto nossa participação no mercado declinava de maneira constante. E apesar de vários esforços para melhorar seu desempenho, tornou-se claro que ele não teria sucesso naquela função. O que dificultava a situação é que ele era alguém de quem todos gostavam. Ele tinha personalidade e atitude excelentes e uma família fantástica. Contudo, não estava se dando bem no emprego. Parte do problema era uma questão de habilidades, mas ele também havia se tornado obsoleto em seu papel de *marketing* depois de tantos anos fazendo o mesmo trabalho. Ele estava entediado, sem mais ideias ou perspectivas novas.

Tive a tarefa desagradável de me reunir com Jason para lhe passar as péssimas notícias de que era hora de ele deixar a Lenox. Ele reagiu muito mal. Mostrou-se espantado, magoado e furioso, que é como a maioria das pessoas se sente ao perder o emprego. Eu sentia muita empatia por pessoas que enfrentavam o choque de perder o emprego, já que eu mesmo havia sido despedido duas vezes. Falei-lhe algo nesta linha: "Jason, sei que você não quer ouvir isto agora, mas isso pode ser algo benéfico para você no longo prazo. Você é um cara talentoso com muito a oferecer. Mas sua abordagem e seu conjunto de habilidades não são aquilo de que a Lenox precisa neste momento para a próxima temporada. Às vezes, uma planta precisa ser transplantada, não porque a planta seja ruim, mas por que as raízes estão compactadas. Tudo que ela precisa para florescer é um novo vaso e um pouco de terra fresca. Acredito que, com um novo início numa empresa e cultura diferentes, você possa progredir. Daqui a um ano, se nos encontrarmos, eu não me surpreenderia ao ouvir que você encontrou um novo emprego num local onde está tendo grande sucesso. Espero que você seja capaz de olhar para trás e ver que este dia terrível na verdade acabou por se revelar algo bom para você". Entretanto, naquele dia doloroso, Jason não queria saber de nada daquilo. Estava magoado e furioso quando partiu.

Cerca de um ano mais tarde, fui à mostra anual de produtos de mesa em Nova York, onde todas as empresas exibiam suas novas linhas de produtos. Ao entrar no *showroom* de um competidor, avistei Jason do outro lado do salão. Nossos olhos se encontraram, e caminhamos em direção um ao outro. Depois de um aperto de mãos embaraçado, eu lhe perguntei como ele estava. "Rich, estou adorando meu novo emprego em minha nova empresa", respondeu ele. "Encontrei um novo lar aqui, e minha experiência na Lenox acrescenta muito valor. Ganhei um novo sopro de vida. No ano passado, quando você sugeriu que ser despedido talvez se provasse algo bom para mim, eu me zanguei e pensei que você estava louco. Mas agora, em retrospecto, essa mudança foi mesmo algo bom. E a propósito, espero que você saiba que nós vamos detonar com vocês no mercado este ano." *Touché*!

Não posso dizer que todos que perdem o emprego passaram pelo que Jason passou, mas acredito que cuidar de seus colegas às vezes envolve uma combinação de amor e severidade. No fim das contas, você quer que eles vivenciem a alegria de realizar um trabalho no qual consigam progredir, em uma função em que seus dons e talentos se encaixem melhor.

Certa vez, logo depois de ser despedido da Parker Brothers, compartilhei minha "tragédia" com um cristão mais velho na igreja chamado Tom. A resposta dele me deixou estupefato. "Que emocionante, Rich!"

"Emocionante?", perguntei. "Acha mesmo? E por que seria emocionante?"

"Porque em momentos como esse a gente sabe que Deus está prestes a implementar uma grande mudança em nossa vida. E eu mal posso esperar para ver o que ele vai fazer." Eu não tinha pensado na situação naqueles termos, mas que maneira ótima de encarar os obstáculos e desapontamentos em nossa vida.

A cenoura

Ao examinar Simão Pedro no Novo Testamento, nós nos surpreendemos com suas várias falhas de caráter: era impulsivo, inconsistente, fácil de se enfurecer e falava antes de pensar — o bom e velho Pedro. E, como sabemos, no fim, ele é aquele que nega Jesus três vezes antes de o galo cantar. Que tipo de avaliação de desempenho você daria a Pedro? Note, porém, como Jesus lhe fala nesta passagem:

> Quando Jesus chegou à região de Cesareia de Filipe, perguntou a seus discípulos: "Quem as pessoas dizem que o Filho do Homem é?".
> Eles responderam: "Alguns dizem que o senhor é João Batista; outros, que é Elias; e outros, ainda, que é Jeremias ou um dos profetas".
> "E vocês?", perguntou ele. "Quem vocês dizem que eu sou?"
> Simão Pedro respondeu: "O senhor é o Cristo, o Filho do Deus vivo!".
> Jesus disse: "Que grande privilégio você teve, Simão, filho de João! Foi meu Pai no céu quem lhe revelou isso. Nenhum ser humano saberia por si só. Agora eu lhe digo que você é Pedro, e sobre esta pedra edificarei minha igreja, e as forças da morte não a conquistarão. Eu lhe darei as chaves do reino dos céus. O que você ligar na terra terá sido ligado no céu, e o que você desligar na terra terá sido desligado no céu".
>
> Mateus 16.13-19

Essa é uma "avaliação de desempenho" pública e impressionante. A despeito das muitas gafes que Pedro havia cometido antes, e daquelas que cometeria depois, naquela ocasião, quando ele responde de maneira correta à pergunta que Jesus lhe faz, Jesus é efusivo em seu elogio. Na frente dos outros discípulos, ele eleva Pedro, anunciando que um dia Pedro se tornará o líder deles. Imagine só como isso deve ter enchido Pedro de orgulho. Nos anos que se seguiriam, Pedro seria preso, espancado, encarcerado e perseguido como o líder da igreja primitiva. No fim, ele teve a morte de um mártir, crucificado brutalmente de cabeça para baixo. Eu me pergunto quantas vezes em meio a esses tormentos Pedro encontrou encorajamento ao se lembrar daquele momento especial em que seu Salvador o elogiou e depositou nele sua plena confiança. Espero que você considere isso encorajador também, pois seu Salvador de igual modo depositou sua confiança plena em você. "Logo, todo aquele que está em Cristo se tornou nova criação. A velha vida acabou, e uma nova vida teve início!" (2Coríntios 5.17).

O encorajamento é gratuito, não lhe custa nada, mas produzirá um imenso retorno em seu investimento. E funciona em todos os níveis. Você pode encorajar as pessoas abaixo de você, acima de você e no mesmo nível que você na organização. Quando seu colega em outro departamento realizar algo bom, diga-lhe o quanto você o aprecia. Quando sua chefe fizer algo bom, incentive-a. Como líder, ter pessoas encorajadoras ao redor fez uma enorme diferença. Meu chefe de equipe na Visão Mundial, Brian, foi meu Barnabé, o amigo e companheiro de viagem de Paulo cujo nome nas Escrituras significa "filho do encorajamento". Brian sempre acreditou em mim, e seu encorajamento constante me ajudou a realizar muito mais do que eu poderia ter conseguido sozinho. Pessoas assim oferecem energia e confiança. Seja uma delas e cerque-se de pessoas encorajadoras.

> Você pode encorajar as pessoas abaixo de você, acima de você e no mesmo nível que você na organização.

18
Perseverança
Aguente firme

ESCRITURAS → "Meus irmãos, considerem motivo de grande alegria sempre que passarem por qualquer tipo de provação, pois sabem que, quando sua fé é provada, a perseverança tem a oportunidade de crescer. E é necessário que ela cresça, pois quando estiver plenamente desenvolvida vocês serão maduros e completos, sem que nada lhes falte" (Tiago 1.2-4).

PRINCÍPIO DE LIDERANÇA → Quando o líder demonstra perseverança e garra diante de desafios difíceis, ele mantém a esperança e eleva a autoconfiança de toda a equipe.

---

*Nunca ceda. Nunca ceda. Nunca, nunca, nunca, nunca —
em nada, grande ou pequeno, importante ou trivial —, nunca ceda,
exceto diante de convicções de honra e bom senso.*
WINSTON CHURCHILL

Sigo sendo cativado por todos os filmes da série *Rocky* ao longo dos anos. Há algo em Rocky Balboa que nos fascina. Ele é o azarão absoluto do sul da Filadélfia. Como boxeador, não possui nenhum dos movimentos deslumbrantes ou do elegante trabalho de pés que Muhammed Ali demonstrava. Não exibe nenhum toque especial. Rocky é um homem perseverante com algum charme e habilidades medianas. Entretanto, em cada filme da série seus adversários mais vistosos e habilidosos o subestimam. Na clássica luta de boxe de Rocky, ele leva uma surra medonha por dez ou doze *rounds*. É derrubado diversas vezes, mas sempre que cai consegue se levantar. O olho incha até cerrar e o rosto se transforma em uma máscara de sangue, mas ele continua atacando o adversário. Ele simplesmente nunca desiste. E é claro que, em todos os filmes, Rocky consegue de algum jeito prevalecer, não porque fosse um boxeador superior, mas porque se recusa a desistir. Aqui está uma citação típica de Rocky da versão de 2006: "Não se trata de com que força você bate. A questão é o quanto você consegue apanhar e continuar avançando [...]. É assim que se vence!"[1] Rocky vencia por meio de pura garra e perseverança. O que a filosofia de vida de Rocky tem a ver com liderança? A verdade é que o que tornou Rocky um boxeador de sucesso também torna líderes eficientes.

Uma das descobertas surpreendentes documentadas em *Empresas feitas para vencer*, o livro marcante de Jim Collins sobre as empresas de melhor desempenho nos Estados Unidos, foi que os melhores líderes das empresas mais bem-sucedidas eram indivíduos que se caracterizavam pela combinação de dois aspectos: profunda humildade pessoal e intensa vontade ou perseverança profissional. Ao descrever esses diretores executivos, Collins cunhou a frase "líderes do Nível 5". Os líderes do Nível 5 que ele descreveu pareciam desafiar os estereótipos prevalecentes dos líderes de primeira linha em nossa cultura. Não eram personalidades "matadoras", extravagantes, com egos imensos. Em vez disso, costumavam ser tranquilos, reservados e até introvertidos. No entanto, as duas qualidades que pareciam destacá-los eram um senso profundo de humildade pessoal — de que eles não eram importantes — e uma determinação teimosa de perseverar diante dos desafios e adversidades.

Já falei sobre a qualidade de liderança da humildade no capítulo 8, mas gostaria agora de falar sobre o valor da perseverança em um líder. Como a maioria das outras qualidades de liderança acerca das quais escrevo neste livro, a perseverança não requer que se aprenda nenhum conjunto de habilidades novas. Não depende de inteligência, criatividade ou engenhosidade. Requer apenas uma recusa a desistir, não importa a dimensão do desafio.

Permita-me dividir a qualidade de liderança da perseverança em duas categorias. A *perseverança quanto a metas* consiste em manter o curso para realizar algo difícil. A *perseverança situacional* se refere a suportar uma situação difícil na vida ou no trabalho.

Perseverança quanto a metas

Liderar é mobilizar grupos de pessoas para atingir metas. A perseverança quanto a metas diz respeito a conquistar algo difícil. Realizar feitos simples em geral não requer muita persistência. No entanto, quando se estabelecem metas ambiciosas, elas serão muito mais difíceis de atingir, daí a necessidade de uma perseverança teimosa. Um líder que demonstra esse tipo de garra estabelece um exemplo positivo para os membros de sua equipe. Isso requer acreditar de forma tão intensa que algo é possível que aqueles ao redor começam a acreditar também. Esse tipo de crença e determinação se torna contagiante. Deixe-me compartilhar um exemplo.

Já escrevi sobre o compromisso que a Visão Mundial assumiu para lidar com uma crise de AIDS na África. Foi uma tarefa intimidante repleta de riscos que exigiam que a organização se visse diante de terríveis sofrimentos, perdas e pesar humanos. Meus conselheiros mais inteligentes acreditavam que se tratava de uma "missão impossível" e me encorajaram a não "entrar nessa". E, a princípio, admito que aquilo parecia de fato uma missão impossível.

Lembro-me de minha primeira reunião com um dos doadores de patrimônio elevado para lhe pedir apoio financeiro. Depois que descrevi a devastação da AIDS e o plano da Visão Mundial para trabalhar em comunidades assoladas pela doença na África, ele me interrompeu e avisou que não queria conversar sobre aquilo, que pensar na AIDS o deixava literalmente nauseado, e que não doaria seu dinheiro para apoiar nosso trabalho com as comunidades afetadas pela AIDS. Uau! Foi aí que descobri que enfrentar a AIDS seria uma batalha árdua.

Para angariar apoio e conscientizar as pessoas, levamos nossa mensagem numa turnê de palestras por dezoito cidades. Lembro-me do desânimo que senti em uma das primeiras cidades, Knoxville, no Tennessee. Havíamos planejado um café da manhã entre pastores, acreditando que atrairíamos mais de cem deles. Promovemos o evento de forma intensa em igrejas e no rádio. Além de mim e dois outros líderes da Visão Mundial, C. Everett Koop havia concordado em falar no evento. Ele era o eminente ex-secretário de saúde do país em meio aos primeiros casos da AIDS nos Estados Unidos durante a administração Reagan, na década de 1980. Encomendamos um bufê de café da manhã para cem pastores, acreditando que eles responderiam. Contudo, apenas *três* pastores compareceram — três! Foi desolador. Os líderes da igreja simplesmente não pareciam se importar com a pandemia da AIDS. Desanimados mas inabaláveis, prosseguimos com o evento para só aqueles três.

Teria sido fácil cancelar o restante de nossa turnê e admitir que aquela era uma proposta que não poderia ter êxito. Entretanto, a causa era importante demais, e desistir não era uma opção. As cidades subsequentes produziram públicos cada vez mais promissores e, quando nossa turma chegou a Minneapolis meses mais tarde, de algum modo conseguimos que novecentas pessoas comparecessem em meio a uma nevasca em Minnesota para um jantar de conscientização sobre a AIDS. O *Minneapolis Star Tribune* se revelou tão surpreso diante de ideia de novecentos cristãos de Minnesota participando de um jantar para discutir a AIDS que publicou a história na primeira página no dia seguinte. Meses mais tarde, descobri que o artigo no *Star Tribune* havia começado a circular nos corredores do Congresso justamente quando o plano de emergência do presidente Bush para a África (PEPFAR) estava sendo encaminhado para votação. Fui informado de que quando alguns membros do Congresso, aqueles que estavam indecisos, descobriram que novecentos evangélicos no coração do país haviam enfrentado uma nevasca por se sentirem preocupados com o impacto da AIDS sobre as famílias africanas, eles decidiram votar a favor do projeto de lei em vez de se oporem a ele. Foi aprovado na Câmara dos Representantes com 276 votos contra 145, e aprovado subsequentemente no Senado e transformado em lei. Quinze bilhões de dólares foram alocados para ajudar homens, mulheres e crianças em situação desesperadora de todo o mundo que haviam sido vítimas do HIV/AIDS.

Apesar da defesa bíblica persuasiva para que se cuide dos órfãos e das viúvas em suas dificuldades, foi difícil convencer os cristãos e líderes de igrejas dos Estados Unidos de que a pandemia da AIDS merecia sua compaixão e envolvimento. A Visão Mundial deparou com obstáculos e oposição significativos de alguns importantes líderes cristãos e denominacionais. Contudo, nós nos recusamos a desistir. Levamos dezenas de pastores e líderes influentes à África para que vissem por si mesmos o que a AIDS fazia com crianças e suas famílias. Também pedimos a nossos maiores doadores que viessem conosco para testemunhar em primeira mão os efeitos devastadores da pandemia.

Encontrar maneiras de comunicar a dimensão e a escala da tragédia humana que estava ocorrendo era crucial. Em uma comunidade na Zâmbia, realizamos um censo e descobrimos que havia mais de 3.500 crianças órfãs só naquela aldeia. Mandei que me passassem uma lista com todos os seus nomes datilografados e impressos, e a coloquei numa pasta, que eu levava comigo ao me reunir com doadores e líderes da igreja. Eu lhes pedia que folheassem as 75 páginas e lessem alguns dos nomes. A seguir, eu os informava de que havia 13 milhões mais de órfãos como aqueles só na África. Uma pasta contendo seus nomes exigiria 275 mil páginas! Em minhas conversas, tracei um quadro mental para meu público ao sugerir que imaginassem uma fila de crianças órfãs de mãos dadas para formar uma corrente humana. E então eu os alertava de que essa corrente de órfãos cruzaria os Estados Unidos — de costa a costa — cerca de cinco vezes e meia. Em seguida, perguntava se estavam dispostos a ajudar.

> Quando os líderes perseveram diante das adversidades, eles criam uma cultura de esperança.

A maré começou a virar à medida que mais pastores e doadores passaram a compartilhar de nossa dedicação e compromisso. As doações começaram a jorrar de pessoas que haviam ouvido nossa mensagem e respondido, e aos poucos as atitudes começaram a mudar. Havíamos soado o "alarme de incêndio" de maneira consistente e devotada, e pastores e cristãos de bom coração começaram a responder.

Assim como Paulo, acreditávamos que Deus nos daria a força para perseverar. Chamamos nossa campanha de Iniciativa Esperança, um nome apropriado que remonta à promessa de Deus de que a perseverança produz a esperança:

> Temos a esperança de participar da glória de Deus. Também nos alegramos ao enfrentar dificuldades e provações, pois sabemos que contribuem para desenvolvermos perseverança, e a perseverança produz caráter aprovado, e o caráter aprovado fortalece nossa esperança, e essa esperança não nos decepcionará, pois sabemos quanto Deus nos ama, uma vez que ele nos deu o Espírito Santo para nos encher o coração com seu amor.
>
> Romanos 5.2-5

Naqueles anos, toda a organização global da Visão Mundial respondeu com ardor. Embora relutasse a princípio, o entusiasmo e o compromisso cresceram à medida que dezenas de líderes importantes nos Estados Unidos e ao redor do mundo se engajaram na causa e ofereceram suas contribuições e habilidades singulares ao esforço. A Iniciativa Esperança mudou a Visão Mundial.

Quando os líderes perseveram diante das adversidades, eles criam uma cultura de esperança, uma cultura que convida as pessoas a enxergarem o que é possível, uma cultura que acredita que um futuro melhor é viável. E a esperança ampara as pessoas em meio a grandes adversidades.

Perseverança situacional

A perseverança *situacional* (que resiste em meio a circunstâncias difíceis) é diferente da perseverança quanto a *metas*. A vida é complicada, e poucos de nós a atravessarão sem enfrentar uma sucessão de situações desafiadoras que exigirão resistência. Lutar contra uma doença, cuidar de pais idosos, criar um filho com deficiências ou perder um emprego são apenas alguns exemplos.

E, no curso de sua vida profissional, é quase certo que você se verá em uma série interminável de situações no trabalho que exigirão perseverança: uma cultura de trabalho insalubre, cortes profundos no orçamento de seu departamento, ser preterido numa promoção, trabalhar para um chefe temperamental, uma recessão econômica, uma carga de trabalho opressora, problemas contínuos com um colega, ou talvez até uma pandemia global que exija que você trabalhe em casa e com distanciamento social por muitos meses. Essas situações não apenas desafiarão sua habilidade de resistir, mas também testarão sua fé cristã.

Como seguidor de Cristo, a resposta que você dá à adversidade é um dos principais determinantes da efetividade de seu testemunho no trabalho. Permita-me compartilhar uma dessas histórias de minha carreira com a qual você talvez se identifique.

É comum que se diga que as pessoas não se demitem de seus empregos, elas se demitem de seus chefes. Trabalhar sob um líder arrogante, manipulador, narcisista, desinformado ou apenas mesquinho pode ser traumático tanto no aspecto emocional como profissional. Infelizmente, tive mais do que um chefe ruim em minha carreira, e o mesmo se aplicará a você. Sobreviver e até progredir sob um supervisor temperamental requer perseverança.

Eu estava na Lenox havia seis anos quando o diretor executivo que havia me contratado e com quem eu havia trabalhado tão bem deixou a empresa. Durante nossos anos juntos, ele havia me promovido diversas vezes — até que cheguei a diretor de operações. Quando ele partiu, eu tinha esperanças de que isso poderia ser uma boa oportunidade e que eu seria selecionado para substituí-lo como presidente e diretor executivo.

Entretanto, isso não estava nos planos. Em vez disso, o presidente da empresa-mãe da Lenox decidiu contratar um novo diretor executivo de fora da empresa. Em outras palavras, fui preterido. Embora me sentisse desapontado, é claro, eu estava determinado a dar o melhor de mim, apoiando o novo líder.

A princípio, todos nutriam a esperança de que o novo líder seria capaz de apresentar valor real e ajudar a levar a Lenox a um patamar mais elevado. Levou apenas algumas semanas, porém, para que as pessoas compreendessem que aquela seria uma jornada complicada. Embora ele viesse para a empresa com novas perspectivas e abordagens, o novo diretor executivo também demonstrava um estilo de liderança volátil e intimidador. Era comum que ele repreendesse e constrangesse as pessoas de forma pública durante as reuniões. Às vezes, quase se conseguia ver as nuvens de tempestade se formando em seu rosto antes que ele descarregasse a raiva em alguém. Ele podia ser cruel, manipulador e interesseiro. As pessoas começaram a temer suas sessões com ele.

Em certa ocasião, ele despediu abruptamente um membro de escalão inferior da equipe que tinha família para sustentar apenas porque essa pessoa cometeu um simples erro tipográfico em um recado que ele lhe havia pedido para enviar. Ele então chamou o presidente da divisão daquela funcionária e o repreendeu com raiva por permitir tanta incompetência em sua organização. Foi horrível. As pessoas se sentiam temerosas e desencorajadas. Com um pouco de humor negro, alguns passaram a se referir a ele como "o príncipe das trevas".

Talvez essa situação lhe soe familiar. No decorrer de sua vida profissional, é inevitável que você encontre chefes ou colegas com quem será extremamente difícil trabalhar. E sobreviver, para não falar de progredir, numa situação assim não será fácil. Meu conselho a você é simples. Mantenha-se positivo. Faça o máximo para incorporar valores como integridade, humildade, humor, excelência, coragem, amor e encorajamento em suas interações diárias. Seja prestativo e mantenha o foco no bem maior. Até mesmo os chefes temperamentais muitas vezes respondem de maneira positiva a pessoas que se apresentam dessa forma. No fim das contas, você só é capaz de controlar o seu comportamento, não o deles. E seja paciente, acreditando que seu bom comportamento produzirá uma diferença positiva. Eis o que Paulo nos encorajou a fazer diante de perseguições: "Abençoem aqueles que os perseguem. Não os amaldiçoem, mas orem para que Deus os abençoe. [...] Nunca paguem o mal com o mal. Pensem sempre em fazer o que é melhor aos olhos de todos. No que depender de vocês, vivam em paz com todos" (Romanos 12.14,17-18). Você pode ser um pacificador em meio a uma situação difícil.

Minha abordagem foi tentar me manter positivo e tornar-me prestativo e útil, sem adotar o estilo negativo de liderança dele. Como eu já trabalhava na Lenox havia anos, eu podia ser um intérprete e guia para ele à medida que ele buscava entender uma nova indústria e negócio. Tentei utilizar o humor para rebater parte de suas tendências negativas. O resultado foi que conseguimos manter um relacionamento de trabalho razoavelmente positivo à medida que ele começou a buscar meus conselhos e apoio.

Essas são também as ocasiões em que você pode brilhar como embaixador de Cristo. Durante aquela época complicada na Lenox, fiz o melhor possível para ajudar a organização, protegendo as pessoas em reuniões e tentando mitigar as explosões mercuriais do diretor executivo. Tentei ser um mediador em questões controvertidas, buscando meios-termos que ele aceitasse. Eu parecia ser capaz de encontrar maneiras de acalmá-lo e impedir que as reuniões degringolassem. Na realidade, a situação chegou ao ponto em que algumas das pessoas só marcavam reuniões com ele se eu estivesse presente.

Tudo isso nos ajudou a tirar o melhor de uma situação ruim, mas com o passar do tempo pessoas importantes começaram a partir porque a cultura havia se tornado desmoralizante. Por fim, perdi um de meus quatro talentosos presidentes de divisão e, apenas algumas semanas mais tarde, perdi outro. A organização estava começando a se desintegrar. Pensei em sair também, mas decidir permanecer, julgando que talvez ainda conseguisse salvar a situação. Abandonar o navio de uma empresa na qual eu havia investido muitos anos não me parecia certo. E eu acreditava que a empresa-mãe estava começando a se desencantar com o diretor executivo que havia escolhido.

> Um líder cristão pode ser uma ilha em meio à tempestade para as pessoas feridas em um ambiente de trabalho difícil.

Cerca de dois anos e meio depois, tivemos uma grande reunião de estratégia fora da empresa com todos os principais executivos de nossa empresa-mãe. Na primeira manhã, ainda no quarto de hotel, recebi um telefonema às sete horas do presidente. "Rich, você poderia vir ao meu quarto às 7h30? Tem uma questão que eu gostaria de discutir com você." Ninguém quer um telefonema do presidente no início da manhã exigindo que você se dirija a seu quarto de hotel. Foi ligeiramente aterrorizante.

Quando cheguei, ele me pediu que me sentasse e me contou de forma abrupta que, minutos antes, havia aceitado a demissão do diretor executivo. Pelo jeito, ele aos poucos havia se conscientizado da turbulência na Lenox e do êxodo de líderes importantes. Então sorriu e me perguntou se eu aceitaria a oferta de me tornar o novo diretor executivo da Lenox. Ele observou que eu havia sido leal em muitos papéis diferentes dentro da empresa, que eu havia sido paciente, e que ele agora tinha confiança de que eu seria capaz de cumprir aquela função. Minha perseverança situacional havia valido a pena. Apenas alguns minutos mais tarde, entramos juntos na sala de lideranças e ele fez o grande anúncio.

Nos meses que antecederam esse momento, houve alguns períodos muito sombrios no trabalho em que me perguntei se conseguiria sobreviver ao ambiente tóxico de trabalho. Contudo, aqueles desafios também me ofereceram a oportunidade de projetar alguma luz na escuridão para outros que estavam em dificuldades. Se nosso trabalho como embaixadores de Cristo envolve curar os quebrantados que encontrarmos em nosso mundo, as crises se tornam algumas das melhores oportunidades para nosso testemunho. Um líder cristão pode ser uma ilha em meio à tempestade para as pessoas feridas em um ambiente de trabalho difícil. Se você conseguir superar pessoalmente a ansiedade de uma situação estressante com um espírito de paz, sua estabilidade elevará os ânimos daqueles que estiverem se debatendo. As dificuldades fornecem uma oportunidade maravilhosa para que você demonstre sua fé ao cuidar de outros.

> As dificuldades fornecem uma oportunidade maravilhosa para que você demonstre sua fé ao cuidar dos outros.

Entretanto, permita-me deixar claro que a perseverança deve também ter limites. Se você estiver numa situação de trabalho em que sofre abusos ou assédios sexuais constantes, ou se lhe pedirem que faça coisas antiéticas, a perseverança não é a resposta apropriada. Nesses casos, você deve delatar os abusos da maneira apropriada, em geral para o departamento de recursos humanos. Se isso não for possível, você talvez precise se retirar da situação abusiva. Alguns locais de trabalho são simplesmente tóxicos e perigosos demais para que possamos tolerar.

A perseverança de Paulo

Quando nos voltamos às Escrituras, vemos que a perseverança era um valor central que caracterizava os líderes da igreja do primeiro século, quando enfrentaram tribulações e perseguições constantes. É chocante que onze dos doze discípulos tenham sofrido mortes violentas como mártires por causa de sua fé. Caso você sinta que está enfrentando desafios árduos em sua vida ou no local de trabalho, considere por um momento as dificuldades que Paulo descreveu:

> Trabalhei com mais dedicação, fui encarcerado com mais frequência, perdi a conta de quantas vezes fui açoitado e, em várias ocasiões, enfrentei a morte. Cinco vezes recebi dos líderes judeus os trinta e nove açoites. Três vezes fui golpeado com varas. Fui apedrejado uma vez. Três vezes sofri naufrágio. Certa ocasião, passei uma noite e um dia no mar, à deriva. Realizei várias jornadas longas. Enfrentei perigos em rios e com assaltantes. Enfrentei perigos de meu próprio povo, bem como dos gentios. Enfrentei perigos em cidades, em desertos e no mar. E enfrentei perigos por causa de homens que se diziam irmãos, mas não eram. Tenho trabalhado arduamente, horas a fio, e passei muitas noites sem dormir. Passei fome e senti sede, e muitas vezes fiquei em jejum. Tremi de frio por não ter roupa suficiente para me agasalhar. Além disso tudo, sobre mim pesa diariamente a preocupação com todas as igrejas. Quem está fraco, que eu também não sinta fraqueza? Quem se deixa levar pelo caminho errado, que a indignação não me consuma?
>
> 2Coríntios 11.23-29

> Sua perseverança com líder é capaz de sustentar a esperança e elevar os ânimos de toda a sua equipe em meio às tribulações.

Leio essa passagem sempre que me sinto abatido em relação a meus próprios desafios na vida. Ela tende a colocar minhas pequenas crises em perspectiva. Paulo sabia o significado da perseverança. Em Filipenses, porém, Paulo nos conta como ele foi capaz de suportar essas tribulações. "Sei viver na necessidade e também na fartura. Aprendi o segredo de viver em qualquer situação, de estômago cheio ou vazio, com pouco ou muito. Posso todas as coisas por meio de Cristo, que me dá forças" (Filipenses 4.12-13).

Seu segredo era confiar que Deus lhe concederia forças para resistir. Paulo sabia que os propósitos de Deus para sua vida prevaleceriam a despeito de suas tribulações — talvez até por causa delas. De fato, a maioria de suas cartas no Novo Testamento foi escrita enquanto estava preso. Em minha situação na Lenox, minha disposição de resistir junto com meus colegas só foi possível por meio de Deus que me deu forças. Lembre-se de que sua perseverança como líder é capaz de sustentar a esperança e elevar os ânimos de sua equipe inteira em meio às tribulações.

19
Escuta
Até as abelhas fazem isso

ESCRITURAS → "O insensato pensa que sua conduta é correta, mas o sábio dá ouvidos aos conselhos" (Provérbios 12.15).

PRINCÍPIO DE LIDERANÇA → O líder que escuta com cuidado e atenção as pessoas ao redor toma decisões melhores porque cada uma dessas pessoas foi criada à imagem de Deus e contribui com talentos e perspectivas singulares.

> *Quando você fala, está apenas repetindo o que já sabe.*
> *Quando escuta, porém, pode aprender algo novo.*
> DALAI LAMA

Em 28 de agosto de 1963, durante a histórica marcha a Washington, Martin Luther King Jr. realizou um dos discursos mais famosos e impactantes da história dos Estados Unidos. Ele havia escrito o texto na noite anterior, acordado até as quatro da manhã trabalhando nele. No entanto, se você escutar gravações desse discurso, ao fim, antes que ele entre no vibrante refrão "Eu tenho um sonho", há uma longa pausa. Naquele momento, quando King examinou suas anotações, a seção seguinte de seus comentários não lhe pareceu apropriada. E ele fez uma pausa de dez segundos inteiros, pensando sobre o que diria a seguir. Durante essa pausa, a cantora *gospel* Mahalia Jackson, de pé ao lado dele, instou: "Conte a eles sobre o sonho, Martin, conte a eles sobre o sonho!". King havia empregado a expressão "Eu tenho um sonho" em discursos anteriores, mas não havia planejado utilizá-la naquele dia. Durante aquela longa pausa de dez segundos, porém, enquanto se debatia com o que dizer a seguir, ele escutou.

Em seguida, lançou-se na prosa inspiradora que faria história naquele dia quente de verão — tudo porque ele escutou a voz de outra pessoa.[1]

O Dr. King é muitas vezes lembrado como uma figura solitária, um profeta monumental que parecia liderar sozinho o movimento de direitos civis nas décadas de 1950 e 1960. Contudo, uma das qualidades que o tornou um grande líder era sua disposição de ouvir o conselho de outros. Eis o que o jornalista John Blake escreveu sobre o estilo de liderança de King:

> Até o estilo de gerenciamento de King era construído com base na escuta. Ele se cercava de uma equipe de rivais que viviam se digladiando na Conferência de Lideranças Cristãs Sulistas, o grupo de direitos civis que King ajudou a fundar. Muitos desafiavam King ou discordavam dele de forma pública — e isso era bem o que ele queria, atesta Andrew Young, o ex-embaixador das Nações Unidas que fez parte do Círculo interno de King.
>
> "A CLCS sempre foi uma batalha de egos", afirmou Young no marcante documentário sobre direito civis *Eyes on a Prize*. "Éramos como uma tropa de cavalos selvagens. Cada um tinha opiniões muito fortes e as próprias ideias sobre como o movimento deveria prosseguir, e o Dr. King encorajava isso. E nossas reuniões eram em volume alto e estridente, e ele se sentava quieto até que terminássemos de discutir as questões, e só então ele costumava tomar uma decisão."[2]

O Dr. King liderou um dos movimentos mais controversos e litigiosos da história americana, um movimento que incluía muitas vozes, personalidades e opiniões poderosas. Entretanto, em vez de lutar sozinho e fazer tudo "a seu modo", King escutava o conselho de muitos antes de decidir como ele lideraria.

Como afirmei no capítulo 8, os líderes muitas vezes acreditam em sua própria publicidade. Eles julgam que se tornaram líderes porque eram mais espertos, melhores e mais capazes do que as pessoas à sua volta. E assim é comum que optem por seguir a própria intuição e tomar decisões sem o benefício do conselho e das opiniões de outros. A Bíblia tem muito a dizer sobre esse tipo de pessoa, mas Provérbios 12.15 é um bom resumo: "O insensato pensa que sua conduta é correta, mas o sábio dá ouvidos aos conselhos". Em outras palavras, um líder que não escuta é um tolo.

Os melhores líderes são bons ouvintes. Bons ouvintes se beneficiam ao ouvir opiniões diferentes, ganhando novas perspectivas e coletando comentários sobre suas ideias e instintos. Quanto mais informações reúnem, melhores são as decisões que acabam por tomar. Isso é razão suficiente para se tornar um bom ouvinte, mas para o líder cristão, como já argumentei, há outra verdade profunda: as pessoas ao redor foram criadas à imagem de Deus, cada uma dotada de forma singular com talentos e habilidades específicos que são diferentes dos seus. Como C. S. Lewis comentou certa vez: "Não existem pessoas ordinárias. Você nunca conversou com um mero mortal".[3] O líder que reconhece isso e escuta os outros extrai material de um poço divino e sempre terá uma vantagem sobre um líder que não escuta.

O requebrado

São raras as ocasiões em que ter um diploma em neurobiologia e comportamento animal seja útil em minha carreira de gerenciamento. Entretanto, há um comportamento animal impressionante que me marcou no decorrer dos anos. É o processo pelo qual as abelhas tomam decisões coletivas. Você me ouviu bem: as abelhas colaboram no processo de decisão.

O biólogo Karl von Frisch descobriu que as abelhas conseguem se comunicar com outros membros da colmeia por meio de um tipo de dança. Esse "requebrado" lhes permite compartilhar informações entre si sobre a direção e a distância das fontes de água, áreas floridas com néctar e pólen, ou de uma nova localização em potencial para a colmeia.

Digamos que a colmeia precise se transferir para outro lugar. Quando uma abelha descobre um possível local, ela retorna à colmeia e realiza para as outras abelhas uma dança que indica a direção e a distância do local — quase como coordenadas de GPS. As outras abelhas então voam para aquela área para examiná-la por si mesmas. No início desse processo de consulta, pode haver cinco ou seis locais possíveis, cada um sugerido por abelhas diferentes como se estas dissessem às outras: "Vejam, esta é minha opinião". Mais abelhas cumprem seu dever de voar até os locais possíveis para avaliá-los e retornam à colmeia para dançar sua concordância ou discordância em relação a cada local. Aos poucos, por meio

> Bons ouvintes se beneficiam ao ouvir opiniões diferentes, ganhando novas perspectivas e coletando comentários sobre suas ideias e instintos.

desse processo de "escuta" interativa, alcança-se um consenso à medida que o processo de consulta começa a reduzir as opções para duas ou três, com cada abelha contribuindo com sua "opinião" sobre cada local possível. Uma vez que mais de 50% das abelhas se mostre a favor de uma das opções, a decisão é tomada, e de repente todo o enxame voa de forma decisiva para seu novo destino. (Sim, há mesmo um maravilhoso Deus Criador no céu!) Esse processo de tomada de decisões das abelhas modela um tipo de democracia interativa para a tomada de decisões que agrega a sabedoria de todos os membros da colmeia.

O requebrado na Visão Mundial

Muito bem, então como isso se relaciona a colmeias de humanos? Poucos anos depois que comecei a trabalhar na Visão Mundial, senti que era necessária uma reorganização significativa de várias funções. Como diretor executivo, eu poderia ter-me fechado em uma sala de conferências com o chefe de recursos humanos e, a exemplo de Moisés, ter retornado do "Monte Sinai" com a nova estrutura entalhada em um par de tábuas de pedra. Contudo, como a cultura da Visão Mundial tinha uma forte expectativa de tomada de decisões em colaboração, optei por uma abordagem diferente. Por várias semanas, mantive em torno de trinta discussões individuais com líderes de diversos níveis e departamentos para lhes perguntar sobre suas ideias e perspectivas. Em seguida, promovi uma série de debates mais amplos para discutir ideias e solicitar mais opiniões. Também conversei com os membros da diretoria.

Quando o momento de tomar a decisão final se aproximou, reuni cerca de 25 líderes importantes para uma sessão de debates que durou o dia inteiro. Eu os dividi em cinco ou seis pequenos grupos com membros de funções distintas, e pedi a cada grupo que fingisse que a decisão final era deles e os instruí a conceber a estrutura organizacional que recomendavam. Depois disso, os grupos retornariam para apresentar suas soluções e argumentos ao grupo maior. Enfatizei que eles precisavam trabalhar juntos sem levar em conta a hierarquia ou lealdades departamentais, pois estávamos buscando a melhor solução para a organização inteira.

Após algumas horas, todas as equipes retornaram, todas empolgadas com a solução de seu grupo. A boa notícia era que, depois de todo esse trabalho e "requebrado", as "abelhas" demonstraram sua concordância em torno de alguns temas e conceitos fortes. Quando terminamos, agradeci a todos pelo bom trabalho e lhes informei que eu levaria cada um de seus projetos em consideração. Então me fechei em uma sala com o chefe de recursos humanos para revisar todas as informações que recebemos. Utilizando aquelas informações, criamos nossa nova estrutura organizacional. Na semana seguinte, fizemos o anúncio e demos início às mudanças.

Assumi alguns riscos ao utilizar esse tipo de processo transparente, mas valeu a pena. A nova estrutura foi bem recebida, e houve muito pouca controvérsia. Muitas pessoas haviam se envolvido no processo, e a maioria delas percebeu parte de seu raciocínio representado na nova estrutura. As pessoas se sentiram encorajadas, pois seu líder havia se importado sinceramente com suas opiniões e havia parado para lhes dar ouvidos. Essa escuta resultou não apenas em uma decisão melhor, mas também criou uma onda de aceitação e boa vontade. A colmeia estava feliz.

A sabedoria da multidão

Um dos livros mais interessantes que já li a respeito da importância de solicitar a opinião de outros na tomada de decisões é *A sabedoria das multidões*, de James Surowiecki. Ele explica como grupos de pessoas comuns exibem uma habilidade quase inacreditável de solucionar problemas complexos de forma mais eficaz do que os "especialistas". A "multidão" quase sempre demonstra desempenho melhor do que o especialista solitário.

O livro começa com uma anedota sobre um cientista britânico de 85 anos, Francis Galton, que passeava por uma feira em um condado da Inglaterra em 1906. Galton deparou com uma exibição de julgamento de peso em que o público podia comprar um bilhete e adivinhar o peso de um boi que, mais tarde, seria abatido e retalhado. Aqueles cujo palpite chegasse mais perto do peso real ganhariam prêmios. A hipótese de Galton era que não muitos chegariam perto da resposta correta, a não ser alguns verdadeiros "especialistas" entre a multidão — pessoas que possuíam gado ou açougueiros com anos de experiência. Mais tarde, Galton recebeu os bilhetes contendo cerca de oitocentos palpites para analisar. Para seu espanto, embora ninguém houvesse adivinhado o peso exato do boi, a média dos oitocentos palpites chegava a 542 quilos. O peso real era 543 quilos! O palpite da multidão era quase perfeito e melhor do que o de qualquer especialista individual dentro do grupo.

Surowiecki passa então as próximas 270 páginas demonstrando que a "sabedoria" encontrada nesses tipos de julgamento coletivo tem sido replicada e valorizada em uma ampla variedade de campos de iniciativa e de situações complexas. Ele estabelece sua tese desta forma: "A poderosa verdade é que [...] sob as circunstâncias certas, os grupos são impressionantemente inteligentes e, muitas vezes, mais espertos do que as pessoas mais espertas dentro deles".[4] Essa verdade empírica reforça a visão cristã das dádivas singulares de cada pessoa. Paulo reconheceu os talentos coletivos de um grupo de indivíduos ao descrever a igreja:

> A sabedoria do grupo quase sempre se provará melhor do que seus próprios instintos pessoais.

> A cada um de nós é concedida a manifestação do Espírito para o benefício de todos. [...] Mas nosso corpo tem muitas partes, e Deus colocou cada uma delas onde ele quis. O corpo deixaria de ser corpo se tivesse apenas uma parte. Assim, há muitas partes, mas um só corpo. [...] Juntos, todos vocês são o corpo de Cristo, e cada um é uma parte dele.
>
> 1Coríntios 12.7,18-20,27

Embora uma organização secular não seja o mesmo que uma igreja, o princípio prevalece; as pessoas com quem você trabalha foram dotadas de forma singular pelo Criador de maneiras específicas. Cada uma delas tem uma contribuição, mentalidade e perspectiva única para oferecer ao processo de decisão. Esse é um dos raros "a-hás!" da liderança. Quando você, como líder, instrui um grupo de indivíduos para que lidem com um problema específico ou decide tomar um curso determinado de ação, a sabedoria do grupo quase sempre se provará melhor do que seus próprios instintos pessoais. No mínimo, sempre valerá a pena considerar a sabedoria coletiva.

A diversidade aprimora a sabedoria da multidão

Uma das outras principais descobertas de Surowiecki foi que grupos compostos de indivíduos mais diversos com históricos diferentes tomavam decisões melhores do que grupos homogêneos. Essa ideia também é profunda. Pense no motivo. Pessoas com históricos e experiências de vida diferentes possuem mentalidades e perspectivas diferentes. Quando essas perspectivas diferentes são expressas e consideradas, os múltiplos pontos novos de dados contribuem para que se chegue a decisões superiores. A diversidade é desejável em inúmeras dimensões: gênero, idade, raça, cultura, educação, geografia, área de especialização, religião, e assim por diante. Escutar sempre as ideias e perspectivas de outros, em especial de pessoas diferentes de nós, resultam em decisões melhores. Isso nos tira da "câmara de ecos" da homogeneidade. A diversidade em uma organização não deveria ser vista como uma exigência formal imposta pelo departamento de recursos humanos; deveria ser buscada de forma agressiva como uma vantagem competitiva vital que aprimora o desempenho.

Na Lenox, quando começamos a dar ouvidos às jovens noivas e suas mães em vez de a nossos *designers* de produto, todos eles homens diplomados em arte, nossos novos *designs* começaram a vender e nossa participação no mercado disparou. Na Parker Brothers Games, convidamos crianças de verdade para testar os novos jogos, acreditando que suas opiniões seriam melhores do que as de nosso grupo de desenvolvimento de produtos, formado por homens de meia-idade. A Visão Mundial vivenciou um crescimento explosivo nas décadas de 1980 e 1990, quando colocou líderes nacionais locais no comando do trabalho em seu próprio país e removeram da liderança os que eram, na maioria, homens brancos oriundos dos Estados Unidos, Canadá, Europa e Austrália. Em minha primeira reunião de liderança global da Visão Mundial em 1998, as lágrimas me vieram aos olhos quando quatrocentas pessoas de quase cem países cantaram juntos "Tu és fiel, Senhor", cada um em sua língua nativa. Hoje, a diretoria da Visão Mundial Internacional é composta por 24 homens e mulheres de 19 países diferentes. Quando a diretoria se encontra, a riqueza do reino de Deus está representada ao redor da mesa. Se seu ministério, empresa, escola, organização ou equipe carece de diversidade, você está operando com uma séria desvantagem.

> Se seu ministério, empresa, escola, organização ou equipe carece de diversidade, você está operando com uma séria desvantagem.

Preto e branco e cinza

A citação não creditada a seguir retrata uma verdade que é importante que líderes entendam: "Não defina seu mundo em preto e branco, pois muito se esconde em meio aos tons de cinza". Tem sido minha experiência que quase todas as decisões de liderança não são questões de branco e preto; quase sempre elas se apresentam em tons de cinza. Qual candidato devo contratar, quem devo promover, como devo estruturar meu grupo, como deveríamos responder à ameaça de um competidor? Em geral, não há respostas simples para questões como essas. Em muitas decisões, a tarefa de um líder é buscar mais certeza, e com sorte algum consenso, ao passar uma decisão de 50/50 em direção a 60/40 ou 70/30. A função de um líder é encontrar clareza em meio ao cinza, e esse processo é mais bem realizado por meio de uma escuta cuidadosa.

Todos conhecem a frase familiar: "O topo é um lugar solitário". Contudo, não precisa ser. Deus nos cercou com outras pessoas — não com "meros mortais", como mencionou Lewis, mas pessoas criadas à imagem de Deus. E quando nós as respeitamos, quando as escutamos, quando as convidamos para que se juntem a nós em meio ao cinza, elas poderão nos ajudar a nos tornarmos líderes melhores. E quando você escuta de verdade os outros e mostra que valoriza suas ideias e perspectivas, você obtém outro bônus — elas se sentirão incentivadas e respeitadas. Os membros da equipe que se sentem incentivados e respeitados se importam mais, trabalham de forma mais árdua e demonstram maior engajamento. Trata-se do aspecto do encorajamento de novo. Eu avisei no capítulo 8 que um líder deve se cercar de pessoas inteligentes e capazes, e lhes dar permissão para lhe falar a verdade. Quando fizer isso e escutar os outros com atenção, você obterá acesso à inscrição divina que Deus deixou dentro de cada pessoa.

> A função de um líder é encontrar clareza em meio ao cinza.

20
Levando Deus para o trabalho

ESCRITURAS → "Paz seja com vocês! Assim como o Pai me enviou, eu os envio" (João 20.21).

PRINCÍPIO DE LIDERANÇA → Sua meta não é o sucesso. Sua meta é a fidelidade a Deus. Para um líder cristão, a fidelidade é o sucesso.

> *Como cristãos, acordamos todas as manhãs como aqueles que são batizados. Estamos unidos com Cristo e a aprovação do Pai é entoada sobre nós. Somos marcados desde nosso primeiro momento desperto por uma identidade que nos é concedida por meio da graça: uma identidade que é mais real e profunda do que qualquer identidade que venhamos a trajar naquele dia.*
> TISH HARRISON WARREN

> *Nossa vida espiritual não pode ser medida pelo sucesso como o mundo o mede, mas somente pelo que Deus despeja por meio de nós — e não temos nenhuma forma de medir isso.*
> OSWALD CHAMBERS

Amanhã, ou talvez na segunda-feira, a maioria de vocês que está lendo este livro voltará ao trabalho. Você talvez retorne a um trabalho que aprecia, para interagir com pessoas que admira muito, ou talvez receie ter de enfrentar mais um dia de um trabalho desagradável em um ambiente tóxico e desmoralizante. Você talvez tenha sucesso incrível na carreira que escolheu, tendo conquistado tanto reconhecimento como grandes recompensas financeiras, ou talvez esteja acorrentado a um emprego sem perspectivas em que não é valorizado e é pouco recompensado por seus esforços. De um jeito ou de outro, Deus quer que você leve a fé a seu trabalho.

Imagino que, se leu este livro até aqui, é provável que você seja alguém com responsabilidades de liderança buscando de maneira séria tornar-se um líder melhor — um líder cristão, um líder segundo o coração de Deus. Você provavelmente se sentiu incerto quanto à influência da fé sobre seu trabalho. Você mantém um pé plantado na obra de Deus e outro no mundo profissional, e existe uma tensão entre essas duas realidades.

Comecei este livro com o versículo das Escrituras que mudou por completo minha perspectiva quanto a meu trabalho e minha vocação: "Somos embaixadores de Cristo; Deus faz seu apelo por nosso intermédio" (2Coríntios 5.20). A verdade extraordinária de que Deus nos ungiu para sermos seus embaixadores e nos enviou ao mundo com esse título e responsabilidade muda tudo uma vez que a entendamos. Significa que nosso trabalho não é mais apenas aquilo que devemos realizar para ganhar dinheiro, nem é um mero veículo para conquistar sucesso profissional. Não é mais o local onde deixamos nossa fé junto à porta apenas para apanhá-la quando saímos ao fim do dia, nem é mais o cenário onde passamos quarenta ou cinquenta horas por semana nos esforçando para conseguir coisas que não tem nenhuma conexão com nossa fé e vocação cristãs. Não, nosso local de trabalho é o lugar para onde Deus nos mandou de forma deliberada; é para onde ele nos chamou, nos enviou e nos convocou como embaixadores de Cristo.

> Devemos ser a demonstração tangível do amor, caráter e verdade de Cristo ao vivermos nossa fé em público.

Logo após sua ressurreição, Jesus apareceu aos discípulos e os lembrou de seu propósito: "Assim como o Pai me enviou, eu os envio" (João 20.21). Assim como eles foram enviados ao mundo por Jesus para viver transformados pelo evangelho, você também foi enviado. O dia em que aceitou Jesus Cristo como Senhor e Salvador, você recebeu um novo propósito. Foi concedida a você uma nova vocação, uma nova identidade. E seu local de trabalho e comunidade se tornaram os campos missionários onde você viverá essa vocação e identidade. Você foi enviado lá para lançar sua luz na escuridão.

Entretanto, o que significa levar Deus conosco ao trabalho? O que essa nova vocação exige? Como embaixadores de Cristo, somos chamados a encarnar os valores e caráter daquele que nos enviou. Devemos ser a demonstração tangível do amor, caráter e verdade de Cristo ao vivermos nossa fé em público. Viver sua fé não exige que você evangelize todos no trabalho nem que conduza um estudo bíblico durante a hora do almoço. Trata-se mais de ser do que fazer — ser a luz na escuridão à medida que reflete o caráter de Cristo por meio do trabalho diário. O amor de Cristo por nós deveria transbordar para nosso local de trabalho e comunidade. E, como discuti nestas páginas, nossa luz brilha mais quando aceitamos e demonstramos os valores do reino de Cristo que se aproxima: elementos como integridade, excelência, coragem, amor, humildade, encorajamento, perseverança, generosidade e perdão — Cristo brilhando por nosso intermédio. Quando fazemos isso de maneira consistente, nós nos destacamos, nos distinguimos e instamos a pergunta para a qual Cristo é a resposta. É assim que nossa posição como embaixadores funciona na prática.

"Mas e quanto às pressões do trabalho para nos conformarmos, obtermos sucesso e apresentarmos resultados?", você pergunta. "Se eu me destacar de fato por esses valores, serei um estranho no ninho. Não me encaixarei na cultura onde trabalho." Como embaixador de Cristo, a esperança é que você *de fato* se destaque em vez de se encaixar. Seus valores *vão* distingui-lo à medida que você se torna um colega de confiança, a voz da razão, um pilar da integridade, alguém que oferece encorajamento e é uma fonte de compaixão para seus colegas. E isso significa que você deve marchar a um toque diferente do tambor. Em vez de ser motivado por dinheiro, títulos, política ou ambição, você estará lá para ser o "aroma" de Cristo, como sugere Paulo: "Somos o aroma de Cristo que se eleva até Deus. Mas esse aroma é percebido de forma diferente por aqueles que estão sendo salvos e por aqueles que estão perecendo" (2Coríntios 2.15).

> Nossa luz brilha mais quando aceitamos e demonstramos os valores do reino de Cristo que se aproxima.

O ídolo do sucesso

Preciso falar uma última vez sobre o apelo sutil do sucesso em nossa cultura, pois tenho certeza de que praticamente todos lendo este livro querem ser bem-sucedidos. Fiz a declaração provocativa no início deste livro de que o sucesso não deveria ser nosso objetivo, e que compreendo que isso segue na direção contrária de tudo que nos é dito. O mundo em que vivemos glorifica e celebra o sucesso em todos os campos da iniciativa. Os locais onde trabalhamos medem e cobram resultados de sucesso. Estamos todos imersos em uma cultura de sucesso definida por alguma combinação de conquista, dinheiro, poder e *status*. E se formos honestos, a maioria de nós consome a filosofia do sucesso que nos é pregada. Até passamos isso adiante a nossos filhos ao estabelecer expectativas para seu desempenho na escola, nos esportes, no futuro acadêmico e na escolha profissional. O "evangelho do sucesso" se encontra por todos os lados.

No entanto, aí temos a afirmação notável de Madre Teresa: "Deus não me chamou para ter sucesso. Ele me chamou para ser fiel". Fiel, não bem-sucedida. Era seu mantra. Com aquela declaração, Madre Teresa redefiniu o sucesso — ela o virou do avesso. Afinal, para um seguidor de Cristo, a fidelidade é o sucesso, e o sucesso é a fidelidade.

> O sucesso pode ser um subproduto de sua fidelidade, mas não faça dele a sua razão de vida.

Não me entenda mal. Ser bem-sucedido no sentido convencional da expressão não é ruim, apenas não é o principal. É normal que desejemos que nossos filhos se deem bem e realizem seu potencial pleno concedido por Deus. É ótimo quando todo o nosso esforço e trabalho árduo resultam em sucesso financeiro e profissional. Na realidade, se praticar os valores estabelecidos neste livro (e nas Escrituras), você aumentará a sua probabilidade de sucesso profissional e financeiro. O sucesso pode ser um subproduto de sua fidelidade, mas não faça dele a sua razão de vida. Como nos alertam as Escrituras: "Aqueles que desejam enriquecer caem em tentações e armadilhas e em muitos desejos tolos e nocivos, que os levam à ruína e destruição" (1Timóteo 6.9).

Correndo atrás do vento

O rei Salomão entendia o sucesso terreno. Ele despontava em primeiro lugar na lista das "pessoas mais ricas da Forbes 400" de sua época — talvez de toda a história. Ele governou o reino unificado de Israel e tinha a reputação de ser o homem mais sábio do mundo. Outros governantes buscavam seus conselhos e favores. E Salomão não se negava nenhuma indulgência ou prazer. Ele escreve sobre suas conquistas em Eclesiastes:

> Dediquei-me a projetos grandiosos, construindo casas enormes e plantando belos vinhedos. Fiz jardins e parques e os enchi de árvores frutíferas de toda espécie. Construí açudes para juntar água e regar meus pomares verdejantes. Comprei escravos e escravas, e outros nasceram em minha casa. Tive muito gado e rebanhos, mais que todos os que viveram em Jerusalém antes de mim.

Juntei grande quantidade de prata e ouro, tesouros de muitos reis e províncias. Contratei cantores e cantoras e tive muitas concubinas. Tive tudo que um homem pode desejar!

Tornei-me mais importante que todos os que viveram em Jerusalém antes de mim, e nunca me faltou sabedoria. Tudo que desejei, busquei e consegui. Não me neguei prazer algum. No trabalho árduo, encontrei grande prazer, a recompensa por meus esforços.

Eclesiastes 2.4-10

Seria de se imaginar que, de todas as pessoas, Salomão celebraria tudo que havia conquistado com grande satisfação, mas não.

Mas, ao olhar para tudo que havia me esforçado tanto para realizar, vi que nada fazia sentido; era como correr atrás do vento. Não havia nada que valesse a pena debaixo do sol.

Eclesiastes 2.11

Quando Salomão rememorou sua vida e avaliou seu sucesso incomensurável, esta foi sua conclusão: "Nada fazia sentido; era como correr atrás do vento". Por doze capítulos, Salomão continua sua argumentação desoladora de que, no fim das contas, todos os seus esforços e conquistas, todo o seu sucesso, na verdade havia resultado em nada. Então, nos últimos versículos do livro, ele pronuncia sua conclusão. Se o sucesso não tem sentido, qual é o propósito da vida?

Aqui termina meu relato. Esta é minha conclusão: tema a Deus e obedeça a seus mandamentos, pois esse é o dever de todos. Deus nos julgará por todos os nossos atos, incluindo o que fazemos em segredo, seja o bem, seja o mal.

Eclesiastes 12.13-14

O verdadeiro propósito de cada ser humano é "temer a Deus e obedecer a seus mandamentos". Salomão estava em essência parafraseando a resposta para minha velha pergunta do catecismo católico: "Por que Deus o criou? Deus o criou para conhecê-lo, amá-lo e servi-lo nesta vida".[1] E Salomão também estava prenunciando a sabedoria de Madre Teresa: "Deus não me chamou para ter sucesso. Ele me chamou para ser fiel".

Entenda, é apenas quando somos capazes de redefinir o que o sucesso significa em nossa jornada de fé e de fechar nossos ouvidos aos cânticos de nossa cultura que poderemos começar a viver dentro do chamado mais elevado de nossa vida e trabalho, a sermos aqueles "embaixadores" de Cristo. Então conseguiremos sair da corrida de ratos do sucesso, da esteira rolante do desempenho, e visualizar um prêmio diferente. "Irmãos, não alcancei [a perfeição], mas concentro todos os meus esforços nisto: esquecendo-me do passado e olhando para o que está adiante, prossigo para o final da corrida, a fim de receber o prêmio celestial para o qual Deus nos chama em Cristo Jesus" (Filipenses 3.13-14).

Sim, devemos trabalhar com excelência e empenho sempre que servimos, não porque o *sucesso* seja nossa meta, mas por que a *fidelidade* é. Quando bons embaixadores demonstram excelência, eles aprimoram a reputação daquele que representam. E a excelência, combinada com coragem, humildade, perdão, encorajamento, generosidade e as outras características piedosas de nossa vida em Cristo, será atraente e inspiradora para o mundo que nos observa. Nós nos tornaremos o sal e luz transformativos de que Jesus falou:

> Vocês são a luz do mundo. É impossível esconder uma cidade construída no alto de um monte. Não faz sentido acender uma lâmpada e depois colocá-la sob um cesto. Pelo contrário, ela é colocada num pedestal, de onde ilumina todos que estão na casa. Da mesma forma, suas boas obras devem brilhar, para que todos as vejam e louvem seu Pai, que está no céu.
>
> Mateus 5.14-16

Vasos quebrados

Uma das verdades notáveis sobre nossa fé é que Deus escolheu fazer uso de nós, a despeito de nossos defeitos. Ele poderia ter optado por intervir em nosso mundo de forma mais direta. Em vez disso, ele nos convidou a participar de sua grande revolução para mudar o mundo. Ele nos convocou para que sejamos seu povo transformado engajado em transformar o mundo, tornando-o mais agradável a ele, mesmo que o façamos como vasos quebrados, "vasos frágeis de barro", com todas as nossas rachaduras e defeitos à mostra. "Agora nós mesmos somos como vasos frágeis de barro que contêm esse grande tesouro. Assim, fica evidente que esse grande poder vem de Deus, e não de nós" (2Coríntios 4.7).

Como embaixadores de Cristo, a maioria de nós deixa muito a desejar. Em nosso serviço ao Senhor, atravessamos crises, cometemos erros, enfrentamos obstáculos — e se somos humanos, sofremos derrotas. Porém, apesar de tudo isso, ainda podemos confiar que Deus está fazendo uso de nós — com nossos defeitos e tudo. Fiéis, não bem-sucedidos, é isso que ele pede. E fiel não significa perfeito, mas apenas que continuemos tentando, que continuemos a nos levantar quando tropeçamos, e que mantenhamos o compromisso de sermos seus discípulos não importa o que aconteça.

A Bíblia está repleta de líderes imperfeitos com imensas deficiências espirituais: Davi, que pecou com Bate-Seba; Pedro, que negou o Senhor três vezes; Moisés, que choramingou sobre as ordens de Deus de enfrentar o faraó; Abraão, que mentiu inúmeras vezes sobre a esposa, Sara; Jacó, que na maior parte da vida foi um mentiroso manipulador. No entanto, Deus fez uso deles mesmo assim. E Deus pode fazer uso de você também, até quando você duvidar que esteja fazendo alguma diferença. Se você é aquela pessoa que às vezes se sente como um fracasso em sua jornada cristã, e se duvida que Deus possa fazer uso de você, ofereço-lhe este último encorajamento precioso. Por isso preste atenção.

> Ele nos convocou para que sejamos seu povo transformado engajado em transformar o mundo.

O que Deus realiza por meio de você tem seu envolvimento, mas não depende de você.

Abraão, aos cem anos, estava envolvido na promessa de Deus de um filho — mas isso não dependia de Abraão.

Moisés estava envolvido em enfrentar o faraó e liderar o povo de Deus à terra prometida, mas isso não dependia de Moisés.

Davi e sua funda estavam envolvidos na morte de Golias, mas isso não dependia de Davi.

Pedro estava envolvido em liderar a igreja do primeiro século, mas isso não dependia de Pedro.

Entenda, em cada caso, o resultado provinha de Deus. Essas pessoas eram apenas líderes fiéis — e não eram de forma nenhuma perfeitamente fiéis — e Deus fez uso deles para atingir seus propósitos. E se você for fiel, Deus fará uso de você para realizar grandes conquistas também — mesmo quando seu impacto lhe parecer insignificante e você não conseguir enxergar nenhum resultado positivo a partir de seu testemunho. Mesmo quando se sentir um fracasso, Deus estará trabalhando por seu intermédio.

Um retrato da fidelidade

Merold Stern, o pastor que oficiou nossa cerimônia de casamento logo depois que Renée e eu nos formamos na faculdade, e a esposa dele, Margaret, exercem profunda influência em nossa vida. Merold serviu a maior parte de sua vida como pastor de uma pequena igreja na cidade de Ithaca, Nova York. Ele pregava fielmente todos os domingos, aconselhava centenas de alunos da universidade local (como eu), supervisionava a maioria dos comitês da igreja e até cantava no coro aos domingos com a esposa. Trabalhando de maneira silenciosa por trás dos holofotes, Margaret era uma verdadeira força espiritual, apoiando Merold e a igreja com seus dons de hospitalidade e encorajamento: organizava refeições para os pobres e jantares na igreja, gerenciava os lanches diários da escola bíblica de férias e recebia convidados regularmente para chás e refeições. Merold e Margaret serviram desse modo por cerca de cinquenta anos em uma pequena igreja onde o público semanal variava entre cinquenta e duzentas pessoas, dependendo da época. Merold nunca publicou nenhum livro, nunca apareceu na capa da revista *Christianity Today*, e nunca conheceu o estrelato desfrutado por pastores de megaigrejas cujos nomes são conhecidos em todo o país. Margaret recebia ainda menos reconhecimento. Merold e Margaret, agora com cerca de noventa anos, são pessoas humildes de grande sabedoria e piedade.

> O que Deus realiza por meio de você tem seu envolvimento, mas não depende de você.

Tenho certeza de que Merold às vezes se sentiu como se não tivesse muito impacto para Cristo — pelo menos não em comparação com alguns dos super-astros cristãos de proeminência nacional. Ainda assim, Merold e sua indispensável parceira, Margaret, eram fiéis em relação ao que Deus lhes havia confiado para fazer, mesmo que não conseguissem imaginar a influência total de seu ministério. Nem sempre enxergamos as formas como Deus trabalha por meio de nós.

Jesus compara o crescimento do reino de Deus à germinação de uma semente:

> O reino de Deus é como um lavrador que lança sementes sobre a terra. Noite e dia, esteja ele dormindo ou acordado, as sementes germinam e crescem, *mas ele não sabe como isso acontece*. A terra produz as colheitas por si própria. Primeiro aparece uma folha, depois se formam as espigas de trigo e, por fim, o cereal

amadurece. E, assim que o cereal está maduro, o lavrador vem e o corta com a foice, pois chegou o tempo da colheita.

Marcos 4.26-29

Em outras palavras, o lavrador realiza fielmente seu trabalho, mas não entende bem como Deus acabará transformando seus esforços em uma colheita. A verdadeira magia acontece depois que as sementes foram lançadas. Nossa função, como a do lavrador, é lançar de maneira fiel essas sementes ao representar Cristo, mas é Deus que no fim trará a colheita. E a verdadeira colheita é algo que talvez nunca vejamos, à medida que Deus trabalha na vida das pessoas com quem interagimos todos os dias.

Merold e Margaret influenciaram a vida de centenas, talvez milhares de alunos da Universidade de Cornell por mais de cinquenta anos. Seus conselhos, exemplo e orientação impactaram profundamente meu compromisso e o de Renée com Cristo, e sei que influenciaram outros da mesma maneira. E os muitos alunos tocados por seu ministério se graduaram e se tornaram pastores, professores, empresários, médicos, missionários e líderes de ministério que, por sua vez, influenciaram milhares e até milhões de outros no decorrer da vida e da carreira. Essa é a verdadeira colheita que Deus gerou a partir das sementes que Merold e Margaret Stern plantaram tão fielmente. Eles lançaram as sementes, mas Deus produziu a colheita.

Uma semente que se tornou um arcebispo

Testemunhei outro exemplo fantástico de como Deus opera milagres por meio da fidelidade de pessoas comuns quando conheci uma das crianças que havia sido apadrinhada por intermédio da Visão Mundial no Quênia, em 2017. No ministério da Visão Mundial, muitos milhões de crianças são apadrinhadas atualmente, a maioria por famílias cristãs que colocam a fé em ação ao tentar ajudar uma criança vivendo na pobreza. Essas famílias contribuem com um pouco mais do que um dólar por dia, e a Visão Mundial utiliza esses fundos para ajudar as crianças e suas comunidades a ter água limpa, educação, melhorias na saúde e nutrição, e oportunidades econômicas. As famílias que apadrinham essas crianças plantam algumas sementes importantes, mas é Deus quem utiliza essas sementes para produzir a verdadeira colheita que aquelas famílias talvez nunca vejam. O que essas crianças se tornarão? Quem elas influenciarão no futuro, e como o efeito cascata se revelará daqui a cinco, vinte e cinco ou até cem anos? Uma família que doa alguns dólares por semana para ajudar uma criança não faz ideia de como Deus poderia multiplicar sua fidelidade.

Em minha viagem ao Quênia, alegrei-me ao encontrar um adulto chamado Jackson que havia sido apadrinhado ainda na década de 1970. Quando criança, ele havia perdido o pai, e a família havia enfrentado dificuldades em meio à horrível pobreza. No entanto, graças à família fiel que o apadrinhou, a Visão Mundial foi capaz de lhe levar ajuda. Jackson agora tinha o que comer, mantinha-se saudável, participou dos programas bíblicos de verão da Visão Mundial e conseguiu concluir o ensino médio — uma tremenda conquista na época. A família que o apadrinhou só estava tentando ser fiel a Deus ajudando um menininho que vivia na pobreza. E quando Jackson completou 18 anos, o apadrinhamento chegou ao fim, e a missão da família acabou. Contudo, a verdadeira colheita veio quarenta anos mais tarde!

Em 2016, aquele "menininho", Jackson Ole Sapit, foi nomeado o sexto arcebispo da Igreja Anglicana do Quênia, responsável pela liderança espiritual de mais de cinco milhões de pessoas em seu país. A família que o apadrinhou estava sendo fiel em algo pequeno, plantando algumas minúsculas sementes, mas Deus realizou um grande feito — ele estava cultivando um arcebispo.

A carta de amor de Deus ao mundo

Comecei este livro com as palavras inspiradoras de Madre Teresa, e parece apropriado terminá-lo com as palavras dela também. Durante sua vida notável, ela viajou pelo mundo e se encontrou com presidentes, primeiros-ministros e reis para defender a causa dos pobres. Ela vivenciou a fama e o reconhecimento global por sua obra. Madre Teresa foi uma líder fantástica. No entanto, por mais extraordinárias que tenham sido suas décadas de liderança e serviço fiel aos pobres, ela nunca viu grandeza em si mesma. Sabia onde estava a verdadeira grandeza — nas mãos de Deus — e entendia que o que Deus realizava por meio dela a envolvia, mas não dependia dela.

Em 1946, viajando de trem de Calcutá até um retiro no sopé do Himalaia, ela acreditou ter ouvido Jesus lhe falar, chamando-a para servir os pobres em Calcutá. Estas são as palavras que ela ouviu: "Eu quero freiras indianas, missionárias de caridade, que sejam meu fogo do amor entre os pobres, doentes, moribundos e as criancinhas. *Eu sei que você é a pessoa mais incapaz, fraca e pecadora, mas só porque você é assim, quero usá-la para minha glória. Acaso recusará?"*.² Ela não recusou. Entendeu desde o princípio que o que Deus realizava por meio dela dependia de Deus e não dela; foi o que Deus lhe explicou. Ela só precisava ser fiel. Mais tarde na vida, ela resumiu esse entendimento de sua relação com Deus em uma bela metáfora: "Sou um pequeno lápis na mão de um Deus que escreve e envia uma carta de amor ao mundo".³ Ela se via apenas como "um pequeno lápis" na mão de Deus, uma humilde ferramenta para que Deus a utilizasse como quisesse. Não é uma imagem bonita? Deus é o autor que expressa seu amor pelas pessoas em todo o mundo. E quando nos deixamos totalmente disponíveis a ele, ele nos utiliza como "pequenos lápis" para escrever essas cartas de amor que mudam vidas. Nós nos tornamos seus mensageiros.

Por isso, amanhã, quando for trabalhar — ou participar daquela reunião do comitê da igreja, ou daquela assembleia na vizinhança — seja apenas aquele pequeno lápis, rendido e disponível a Deus. Ele o chamou para se juntar a ele e ser seu embaixador. Ele quer utilizar líderes como você para construir seu reino — para demonstrar seu amor e caráter a um mundo que observa — e para modelar uma maneira diferente de viver, trabalhar e liderar. Deus está chamando para que você seja esse tipo de líder.

Porque Deus valoriza a liderança.

Posfácio

Enquanto eu terminava este livro, as pandemias gêmeas do coronavírus e da discriminação racial começaram a se espalhar pelo mundo, forçando todos nós a parar. Nunca antes na história mundial houve crises que afetaram literalmente todas as nações, instituições e pessoas do planeta de maneira simultânea. E no momento em que termino este livro, ainda não sabemos muito bem como será nosso futuro coletivo.

Entretanto, essas crises nos ofereceram um curso de pós-graduação em liderança. Tenho observado como cada líder em cada instituição em cada setor da sociedade enfrentou o desafio de liderar seu pessoal em meio a esses tempos sem precedência. Líderes de corporações, forças policiais, hospitais, igrejas, ministérios, escolas, organizações sem fins lucrativos, grupos comunitários, pequenos negócios e governos se viram diante de escolhas e desafios penosos. E essas crises revelaram algo sobre esses líderes: os valores em que se baseia sua liderança. Pois as crises sempre revelam o caráter.

Alguns líderes foram de encontro ao desafio, demonstrando coragem, visão, excelência, perseverança, sacrifício, empatia, integridade, encorajamento e humildade. Esses líderes priorizaram as pessoas, lutaram pelo bem maior e têm se provado fontes de conforto, esperança e inspiração para aqueles sob seus cuidados. Outros líderes, em vez disso, agiram em prol dos próprios interesses, protegendo lucros em detrimento das pessoas, culpando outros, dividindo em vez de unir, e permitindo que cálculos políticos suplantassem as necessidades reais e desesperadas das pessoas. Dois tipos de líderes, duas respostas contrastantes.

Jesus falou sobre essas questões fundamentais na parábola do construtor sábio e do construtor tolo.

Quem ouve minhas palavras e as pratica é tão sábio como a pessoa que constrói sua casa sobre uma rocha firme. Quando vierem as chuvas e as inundações, e os ventos castigarem a casa, ela não cairá, pois foi construída sobre rocha firme. Mas quem ouve meu ensino e não o pratica é tão tolo como a pessoa que constrói sua casa sobre a areia. Quando vierem as chuvas e as inundações e os ventos castigarem a casa, ela cairá com grande estrondo.

Mateus 7.24-27

A mensagem deste livro diz respeito a ouvir as palavras de Jesus e colocá-las em prática em seu local de trabalho. Diz respeito a construir sua carreira e sua vida sobre uma fundação de rocha firme, não de areia, pois no decorrer de sua vida e liderança, a chuva *vai* cair, os rios *vão* subir e os ventos *vão* soprar. Você será desafiado a liderar em meio a muitas dessas crises. O líder sábio, o líder piedoso, o líder orientado pelos valores, construirá sua casa sobre rocha firme — e não cairá.

Agradecimentos

É costumeiro nestas páginas de agradecimentos listar as muitas pessoas que ajudaram o autor a desenvolver e escrever seu livro, e fiz isso em minhas publicações anteriores. Como hoje estou aposentado, este livro foi, em sua maior parte, um esforço solitário. Porém, quero agradecer a meu editor, Ed Gilbreath, por reconhecer o valor desta mensagem e recomendar que a InterVarsity Press a publicasse. E estou grato a toda a equipe da IVP por me ajudar a levar este livro até a linha de chegada. Jeff Crosby, editor da IVP, me convenceu a fechar negócio ao me explicar que a IVP estava mais para uma "editora de mensagens" do que para uma "editora de oportunidades" — o que significa que sua prioridade era publicar livros com mensagens importantes em vez de mirar primeiro na "celebridade" do autor, o que costuma estar correlacionado com o volume de vendas. Talvez seja por isso que eu tenha lido e apreciado tantos livros da IVP no decorrer dos anos, pois contêm mensagens muito importantes para as pessoas que buscam se tornar discípulos melhores de Cristo.

No entanto, é com os muitos colegas e mentores que tive o privilégio de conhecer e com quem trabalhei no decorrer dos anos que o conteúdo deste livro tem sua maior dívida. Como mencionei ao dedicar este livro a eles, esses colegas muitas vezes modelaram os dezessete valores sobre os quais decidi escrever. Seus exemplos positivos me moldaram e inspiraram como líder. Alguns se sobressaíram em excelência e encorajamento, alguns em visão ou coragem ou humildade, e outros em perseverança, rendição ou excelência. Eram pessoas tanto acima como abaixo de mim na hierarquia da organização, pois esses valores não dependem do cargo da pessoa. E algumas delas eram pessoas de outras organizações cuja liderança me inspirou.

Correndo o risco terrível de deixar alguns amigos e colegas maravilhosos de fora, quero aproveitar esta oportunidade para nomear alguns daqueles que me inspiraram ao longo do caminho e que levaram tanta energia positiva aos locais onde trabalharam. Aqui, em nenhuma ordem em particular, está a minha lista de heróis: Larry Probus, Bill Bracy, Charles Owubah, Ken Casey, Joyce Godwin, Steve Hayner, Edgar Sandoval, Dave Toycen, Connie Lenneberg, Jim Chiles, Brian Sytsma, Dave Herman, Atul Tandon, Joan Mussa, Bruce Wilkinson, Doug Treff, Jim Bere, John Crosby, Julie Regnier, Chris Glynn, Sam Jackson, Jon Warren, Marilee Dunker, Leighton Ford, Kari Costanza, Shelley Liester, Peter Gruol, Joanna Mockler, Joan Singleton, Cara Berggren, Rob Moll, Leith Anderson, Dan Hussar, Bob Snyder, Tom Costanza, Ed Radding, Jerry White, Horace Smith, Dolphus Weary, Marty Lonsdale, Corina Villacorta, Tami Heim, Tim Dearborn, Rudo Karambo, Michael Chitwood, Emmanuel Opong, Amanda Bowman, Jim Wallis, Jim Daly, Tim Costello, Jayakumar Christian, Wayne Parchman, Bobby Majka, Martha Curren, Bill Bryce, Ron Sider, Michael Messenger, Jim Lee, Donna Bunn, Dave Robinson, Brian Duss, Hoseung Yang, Chris Clarke, Thomas Chan, Bill Haslam, Kevin Chu, Paul Nelson, Rob Stevenson, Phil Orbanes, Mike Tracy, Chris Shore, Thomas Jenkins, Dana Buck, Lloyd Reeb, Clint Dougan, Manfred Grellert, Trihadi Saptoadi, Keith Stewart, Kathryn Compton, Torrey Olsen, Dan Martin, Andrea Schutz, Charlie Keith, John Makoni, Valdir Steuernagel, Princess Kasune Zulu, Bob Kelsey, Bob Flannery, Sean Kerrigan, Margaret Schuler, Kathy Evans, Bob Zachritz, Roberta Hestenes, Amy Thompson, Jane Sutton-Redner, Christo Greyling, Stan Krangel, Christine Talbot, Tim Andrews, Steve Dill, Vinh Chung, Dan Busby, Kathy Currie, Jonathan Reckford, Andrew Morley, Gary Haugen, Max Lucado, Edgar Flores, Kent Hill, Steve Haas, Martha Curren, Bob Israel, Scott Jackson, Gary Duim, Wilfred Mlay, Stephen Lockley, Ray Norman, Brady Anderson, Scott Chin, Tim Carder, Rhea Goldman, Dave Mitchell, Jim Solomon, Milana McLead, Jo Anne Lyons, John Thomas, John Clause, Joe Riverson, Les Kline, Lisa Archambault, Mike Mantel, Lou Fantin, Sam Kameleson e Bismark Nerquaye-Tetteh.

Peço perdão por minha memória imperfeita ao inevitavelmente deixar alguns grandes colegas de fora, mas senti que era importante que eu agradecesse e reconhecesse algumas das muitas pessoas que trouxeram riqueza e alegria à minha jornada de liderança. Por fim, sou grato à minha esposa, Renée, que é minha constante ouvinte e editora em tudo. Ela me acompanhou pelos altos e baixos de uma carreira de 44 anos com extraordinária paciência, graça, entendimento, encorajamento e conselhos.

Notas

Introdução
[1] Citado em Phyllis Theroux, "Amazing Grace", *Washington Post*, 18 de outubro de 1981, <www.washingtonpost.com/archive/lifestyle/magazine/1981/10/18/amazing-grace/80c3d328-1270-4f50-90d8-ba72dc903b90/>.

Capítulo 1
[1] "2 Corinthians 5:19 Translation and Meaning", *Quotes Cosmos*, <www.quotescosmos.com/bible/bible-verses/2-Corinthians-5-19.html>.
[2] Merriam-Webster, s.v. "reconcile", <www.merriam-webster.com/dictionary/reconcile>.
[3] N. T. Wright, *Jesus: ontem, hoje e sempre* (São Paulo: Mundo Cristão, 2022), p. 175, 184.

Capítulo 3
[1] Oswald Chambers, *My Utmost for His Highest* (Grand Rapids, MI: Discovery House, p. 1992).
[2] Roman Catholic Church, *Baltimore Catechism* (Nova York: Benziger Brothers, 1933; reimpr., Charlotte, NC: TAN Books, 2010).

Capítulo 4
[1] Merriam-Webster, s.v. "sacrifice", <www.merriam-webster.com/dictionary/sacrifice>.

Capítulo 6
[1] "Wells Fargo Phony Account Scandal, Explained", *The Week*, 17 de setembro de 2016, <https://theweek.com/articles/649015/wells-fargos-phonyaccount-scandal-explained>.
[2] Brené Brown, *Daring Greatly: How the Courage to Be Vulnerable Transforms the Way We Live, Love, Parent, and Lead* (Nova York: Avery, 2012), p. 15. [No Brasil, *A coragem de ser imperfeito: Como aceitar a própria vulnerabilidade, vencer a vergonha e ousar ser quem você é*. Rio de Janeiro: Sextante, 2016.]
[3] Atribuído a Pete Carroll, <www.azquotes.com/author/44751-Pete_Carroll>.

⁴ Andy Patton, "Pete Carroll Earns 100th Win as Seattle Seahawks Head Coach", *USA Today*, 16 de dezembro de 2019, <https://seahawkswire.usatoday.com/2019/12/16/pete-carroll-earns-100th-win-as-seattle-seahawks-head-coach/>.

Capítulo 8
¹ Rick Warren, *The Purpose Driven Life: What on Earth Am I Here For?* (Grand Rapids, MI: Zondervan, 2003). [No Brasil, *Uma vida com propósitos: Você não está aqui por acaso*. São Paulo: Vida, 2013.]

Capítulo 10
¹ Jim Collins, *Good to Great: Why Some Companies Make the Leap and Others Don't* (Nova York: HarperCollins, 2001), p. 69. [No Brasil, *Empresas feitas para vencer: Por que algumas empresas alcançam a excelência... e outras não*. Rio de Janeiro: Alta Books, 2018.]
² Mike Morrison, "SWOT Analysis (TOWS Matrix) Made Simple", RapidBI, 20 de abril de 2016, <https://rapidbi.com/SWOTanalysis/#Background>.

Capítulo 11
¹ Atribuído a Chae Richardson, <https://juicyquotes.com/tag/chae-richardson/>.
² Billy Graham, "A Time for Moral Courage", *Reader's Digest*, julho de 1964.
³ Barna Group, "Omnipoll", 2002.

Capítulo 12
¹ Michael Cramton, "24 Quotes from the Genius Behind Apple", *Huffington Post*, 25 de agosto de 2011, <www.huffpost.com/entry/25-quotes-from-the-genius_b_936437>.
² Andrew Kolodny, "The Magnitude of America's Opioid Epidemic, in Six Charts", *Quartz*, 6 de novembro de 2017, <https://qz.com/1112727/the-magnitude-of-americas-opioid-epidemic-in-six-charts/>.
³ Brandon Park, "2,350 Bible Verses on Money", Church Leaders, 30 de novembro de 2017, <https://churchleaders.com/outreach-missions/outreach-missions-articles/314227-2350-bible-verses-money.html>.
⁴ "Money and Motives", Crosswalk.com, 4 de setembro de 2008, <www.crosswalk.com/faith/spiritual-life/money-and-motives-11581312.html>.

Capítulo 13
¹ Transcrição publicada em Justin Bariso, "With a New Apology, Starbucks's CEO Just Taught an Important Lesson in Leadership", *Inc*, 16 de abril de 2018, <www.inc.com/justin-bariso/after-arrest-incident-goes-viral-starbucks-ceo-kevin-johnson-issues-new-apology.html>.
² Emily Stuart, "Starbucks Says Everyone's a Customer After Philadelphia Bias Incident", *Vox*, 19 de maio de 2018, <www.vox.com/identities/2018/5/19/17372164/starbucks-incident-bias-bathroom-policy-philadelphia>.

³ Anna Orso, "One Year Later: A Timeline of Controversy and Progress Since the Starbucks Arrests Seen 'Round the World", *Philadelphia Inquirer*, 12 de abril de 2019, <www.inquirer.com/news/starbucks-incident-philadelphia-racial-bias-one-year-anniversary-stutter-dilworth-park-homeless-tables-20190412.html>.

Capítulo 14

¹ Kelly Vo, "Inside the Wharton MBA Class of 2021", *Clear Admit*, 22 de agosto de 2019, <www.clearadmit.com/2019/08/inside-the-wharton-mba-class-of-2021-profile/>.

Capítulo 15

¹ Organization for Economic Cooperation and Development, "Employment: Time Spent in Paid and Unpaid Work, by Sex", <https://stats.oecd.org/index.aspx?queryid=54757>.
² Atribuído a Paul Tsongas, <https://en.wikiquote.org/wiki/Paul_Tsongas>.
³ Atribuído a Harry Truman em Christopher Pierznik, "20 Quotes About Books and Reading from Entrepreneurs and World Leaders", *Medium*, 26 de janeiro de 2018, <https://medium.com/the-passion-of-christopher-pierznik-books-rhymes/20-quotes-about-books-and-reading-from-entrepreneurs-and-world-leaders-8188a5519856>.
⁴ Michael Simmons, "Bill Gates, Warren Buffett, and Oprah All Use the 5-Hour Rule," *Medium*, 22 de julho de 2016, <https://medium.com/accelerated-intelligence/bill-gates-warren-buffett-and-oprah-all-use-the-5-hour-rule-308f528b6363>.

Capítulo 16

¹ Atribuído a Lord Byron em "120 Inspirational Quotes About Laughter", Laughter Online University, <www.laughteronlineuniversity.com/quotes-about-laughter/>.
² Maud Purcell, "The Healing Power of Humor," *Psych Central*, 14 de janeiro de 2020, <https://psychcentral.com/lib/the-healing-power-of-humor/>.
³ Atribuído a Victor Borge, <www.goodreads.com/quotes/172-laughter-is-the-shortest-distance-between-two-people>.
⁴ Atribuído a Martinho Lutero em "The Best Quotes About Laughter", *Ranker*, 14 de junho de 2019, <www.ranker.com/list/notable-and-famous-laughter-quotes/reference>.

Capítuo 17

¹ Stephen R. Covey, *The 7 Habits of Highly Effective People: Powerful Lessons in Personal Change* (Nova York: Simon & Schuster, 1989). [No Brasil, *Os 7 hábitos das pessoas altamente eficazes: Lições poderosas para a transformação pessoal*. Rio de Janeiro: Best Seller, 2014.]
² Richard M. Sherman e Robert B. Sherman, "A Spoonful of Sugar", *Mary Poppins (Original Soundtrack)*, Walt Disney Records, 1964.

Capítulo 18
[1] *Rocky Balboa*, dirigido por Sylvester Stallone (Culver City, CA: Metro-Goldwyn-Meyer, 2006).

Capítulo 19
[1] Drew Hansen, "Mahalia Jackson, and King's Improvisation", *New York Times*, 27 de agosto de 2013, <www.nytimes.com/2013/08/28/opinion/mahalia-jackson-and-kings-rhetorical-improvisation.html?_r=0>.
[2] John Blake, "The One Thing About Martin Luther King Jr.'s Greatness Everyone Keeps Missing", CNN, 20 de janeiro de 2020, <www.cnn.com/2020/01/20/us/martin-luther-king-jr-listener-blake/index.html>.
[3] Citado em Roger Edwards, "Never Talked to a Mere Mortal", The Barnabas Center, 3 de setembro de 2013, <http://thebarnabascenter.org/never-talked-to-a-mere-mortal/>.
[4] James Surowiecki, *The Wisdom of Crowds* (Nova York: Doubleday, 2004), p. xi-xiii. [No Brasil, *A sabedoria das multidões*. Rio de Janeiro: Record, 2006.]

Capítulo 20
[1] Roman Catholic Church, *Baltimore Catechism* (Nova York: Benziger Brothers, 1933; repr., Charlotte, NC: TAN Books, 2010).
[2] David Scott, *A Revolution of Love: The Meaning of Mother Teresa* (Chicago: Loyola Press, 2005), p. 76.
[3] Atribuído à Madre Teresa, <www.goodreads.com/quotes/30608-i-m-a-little-pencil-in-the-hand-of-a-writing>.

Compartilhe suas impressões de leitura,
mencionando o título da obra, pelo e-mail
opiniao-do-leitor@mundocristao.com.br
ou por nossas redes sociais

Esta obra foi composta com tipografia Palatino e Europa
e impressa em papel Pólen Natural 70 g/m² na gráfica Imprensa da Fé